L'HEXAGONAL
TEL QU'ON LE PARLE

DANS LA MÊME COLLECTION

Robert **BEAUVAIS**

L'HEXAGONAL
TEL QU'ON LE PARLE

L'HUMOUR CONTEMPORAIN
HACHETTE

DU MÊME AUTEUR

HISTOIRE DE FRANCE ET DE S'AMUSER. Fayard.
QUAND LES CHINOIS. Fayard.
GUY BÉART. Seghers (Collection « Poètes d'aujourd'hui »).

Pour Catherine Anglade.
marraine de l'hexagonal.

Son ami R. B.

I

PARLER EN NOUVEAU FRANÇAIS

« L'ALPHABÉTISATION est impérative, exonérée et désacralisante... »

Qu'est-ce que cela veut dire?

Cela signifie que l'Instruction publique est obligatoire, gratuite et laïque.

En quelle langue?

En hexagonal.

Qu'est-ce que l'hexagonal?

C'est la langue qu'on parle dans l'Hexagone.

Qu'est-ce que l'Hexagone?

C'est la France.

Mais le mot « France », entaché d'une affectivité suspecte, petite-bourgeoise, tend à basculer vers le folklore; le langage contemporain lui préfère celui d'Hexagone qui, dans sa pureté fonctionnelle, semble mieux adapté à la définition d'une grande nation moderne.

Reconsidérons les notions scolaires traditionnelles. Il y a environ deux mille ans, la France c'était la Gaule. Pendant des siècles, la France a été la France : aujourd'hui la France

est encore la France, mais on l'appelle l'Hexagone. Et j'appelle « hexagonal » le langage nouveau qui est en train de s'élaborer à l'intérieur
de l'Hexagone, et cela à une telle cadence que
le français ne sera bientôt plus qu'une langue
morte enseignée dans les établissements secondaires, jusqu'au jour où la loi dispensera les
jeunes Hexagonaux de son étude. Il sera alors
l'affaire de quelques spécialistes, tout comme le
latin.

Largement propagé par les moyens de diffusion actuels, Presse, Radio et Télévision,
l'hexagonal est en train de gagner les masses
auxquelles il s'impose par ces deux vertus à
quoi le public contemporain résiste difficilement : la laideur et la prétention. Mais
d'autres causes favorisent son développement;
parmi celles-ci notons en premier lieu ce que
j'appellerai « le syndrome du garde champêtre ».
On sait que le garde champêtre et les
autres assermentés en uniforme ayant à choisir
entre « nonobstant » et « malgré », ou « subsé-
quemment » et « ensuite », iront d'instinct vers
le plus redondant, cela en vertu de la fascination que les mots à effet exercent, depuis toujours, sur les âmes simples.
En raison de ce syndrome du garde champêtre, il y aura toujours des gens pour penser
que « ondée » est plus joli que « pluie », qui
préféreront « opuscule » à « petit livre », « mis-
sive » à « lettre », « expliciter » à « expliquer »,
« pinacothèque » à « musée », « céphalalgie » à

« mal de tête » et trouveront plus distingué d'avoir une protubérance qu'une bosse.

Ce n'est pas sans raison que les médecins d'autrefois parlaient latin : il est important de ne pas être compris si l'on veut être respecté; un médecin d'aujourd'hui qui prescrirait de l'aspirine perdrait les neuf dixièmes de sa clientèle; qu'il conseille des comprimés de rhinalgène et le voilà réhabilité. Vous voulez dire « il pleut »? Dites « il y a des précipitations ».

Ce prestige de la redondance se manifeste dans les domaines les plus variés.

Les menus de nos restaurants sont en train de devenir des pages d'anthologie; les hôteliers y rivalisent d'une imagination sans frein qui fait que n'importe quoi tend à se baptiser n'importe comment, que des escargots de Bourgogne deviendront aussi bien des « gastéropodes à la Charles le Téméraire », un beafsteack saignant « le carré de castrat des alpages à la Bram Stoker » et une bouillabaisse — pourquoi pas? — le « concentré occitan de fleurs des abysses ». Les propagateurs de ce langage se recrutent à tous les étages de la société; quand ils détiennent les moyens de communication, ils donnent le ton; la contamination est alors irrésistible, car le terrain est favorable.

Son attrait sur les masses ne fait que s'accroître; « j'ai une morphologie qui me force à combattre à mi-distance », disent les boxeurs. « Question esthétique, l'ancien Trocadéro était plus valable », affirme le chauffeur de taxi[1].

Le syndrome du garde champêtre, on le retrouve dans le processus qui a fait disparaître du langage « vigneron » au profit de « viticulteur ». Il se renforce ici du prestige de la technicité. Mais voici le viticulteur dépassé : la publicité qui s'étale sur les camions de livraison de telle vedette viticole de la nouvelle vague nous enseigne que ce producteur se distinguant des vulgaires viticulteurs, ses confrères, s'est promu *œniculteur*.

Et nous avons pu voir figurer sur une camionnette le nom d'un « Technicien de l'essuie-mains » : on n'arrête pas le progrès.

Au nombre des raisons qui concourent au développement de l'hexagonal, mentionnons en bonne place, également, la nostalgie des mathématiques chez les littéraires.

Un des dogmes les plus solidement ancrés dans la tête de l'honnête homme contemporain est qu'il faut « comprendre son époque » ou, hexagonalement parlant, « être en prise directe avec elle ».

Or, l'époque est celle des ordinateurs, des missiles, des laboratoires, des statistiques, des sondages d'opinion et de la technicité. C'est assez dire que, pour être de son temps, un honnête homme se doit d'être scientifique et mathématicien. Malheureusement, les neuf dixièmes de ceux qui manipulent un porte-plume en France n'ont des sciences, qu'une

1. Authentique.

notion assez rudimentaire. D'où, chez l'écrivain, un complexe qui se traduit par une
boulimie de mots savants, de réminiscences
scientifiques élémentaires et de mathématiques
mal digérées.

Comme, en général, ce qu'on sait le mieux
d'une matière dont on ne sait pas grand-chose,
ce sont les premières leçons, le vocabulaire
hexagonal s'en ressent. La génération des écri-
vains qui précède la nôtre — les pré-hexago-
naux — a fait une grande consommation de
résultantes, d'osmose et de potentiel (on peut
y ajouter le kaléidoscope, qui, bien que moins
scientifique, s'est imposé par la consonance
gréco-baroque de son nom). Il y a gros à parier
que l'hexagonal de demain puisera largement
dans le vocabulaire des mathématiques nouvelles, et nous pouvons nous attendre à une
riche floraison d'intersections, d'équipotences
et de permutations commutatives ainsi qu'à
l'avènement du *graphe* qui détrônera vraisemblablement le *schème* très en honneur aujour-
d'hui (et progrès évident sur le *schéma*).

Au complexe des mathématiques, s'ajoute
l'hypothèque de la philosophie. Couronnement
des études secondaires et rampe de lancement
de ceux qui, de nos jours, font commerce d'intelligence, la philosophie fort en honneur à l'intérieur de l'Hexagone est la science de ceux qui
n'ont pas de mathématiques et la littérature
de ceux qui n'ont pas de lettres. Son vocabulaire est une sorte de kiddycraft pour adoles-
cents, un matériel à l'aide duquel on peut jouer

avec les idées et parler abondamment de n'importe quel sujet sans en connaître grand-chose. Comme ce langage est obscur, il donne l'illusion de la profondeur, car un écrivain qui s'exprime clairement passe pour superficiel. Pour beaucoup, la culture, qu'on appelait autrefois « l'instruction », n'est qu'un moyen de dire des choses ordinaires avec des mots étonnants. Exemple vécu de cette conformité de deux pensées dans la dissemblance du langage : sur une plage à marée basse où je me trouvais, deux enfants et un monsieur accompagné d'un petit garçon, penchés sur une mare, contemplaient un crabe en train d'en manger un autre, mort.

« T'as vu, il bouffe un crabe mort », dit l'un des deux enfants...

« Tiens, un crabe nécrophage », dit le monsieur.

Ce monsieur avait de l'instruction...

Depuis toujours l'homme instruit étonne l'homme simple parce qu'il « discute bien ». Il en résulte que les Hexagonaux se serrent les coudes et s'organisent en clan, pressentant que si l'on essayait de dégonfler leurs baudruches, beaucoup d'entre eux risqueraient d'y perdre une partie de leurs moyens d'existence. La simplicité de l'écriture, qui gâche le métier, est donc devenue une sorte de trahison. Un Voltaire qui écrit : « C'est parce qu'on est frivole que la plupart des gens ne se pendent pas », réduit à néant dix mille pages de philosophie de l'absurde exposées dans un javanais hexagonal, inaccessible au commun des mortels. Or, entre un maître à penser, qui vous parle de l' « irrationalité éthique du monde » et ma concierge qui vous dit que le monde est mal fait, il n'y a qu'une différence de terminologie. Ajoutons à cela que l'obscurité est toujours payante : de même que nous trouvons infiniment plus drôles les plaisanteries que nous arrivons à comprendre dans une langue étrangère que nous parlons mal, par le simple fait que nous l'avons comprise (et que nous y rions pour cette raison dix fois plus fort qu'il ne serait justifié), de même une pensée exprimée en hexagonal nous paraît cent fois plus profonde qu'elle ne l'est réellement, par le simple fait que nous avons réussi à en saisir le sens. Ainsi, l'auteur hexagonal gagne à tous les coups.

Aux ânes frottés de latin du xviie siècle ont donc succédé les baudets bouchonnés de philo du xxe siècle; le langage s'en trouve transformé dans la mesure où la philosophie est un robinet d'hexagonal en folie. En isolant du public les professionnels de l'intelligence, l'hexagonal a des conséquences profondes sur notre civilisation. On se plaint que les Français lisent peu, mais quel Français serait tenté de lire en écoutant parler ceux qui écrivent, surtout depuis que la Télévision les a catapultés sur le forum? Les supporters de l'hexagonal le défendent en prétextant que le langage étant l'instrument de la pensée, à des pensers nouveaux convient un langage nouveau. Mais le langage conduisant la pensée, on s'aperçoit qu'à force de dire les mêmes mots, les usagers finissent par dire les mêmes choses. D'où ces conversations, ces écrits de Panurge qui caractérisent l'activité mentale contemporaine; au banquet de l'hexagonal, on consomme plus souvent au prix fixe qu'à la carte. Ce langage ne serait-il qu'un brouillard artificiel destiné à masquer une médiocrité généralisée dont l'intelligentsia française actuelle a vaguement conscience? Chose étrange, jamais les intellectuels n'ont autant revendiqué pour la culture des masses que depuis cette prolifération de l'hexagonal qui précisément éloigne les masses de la culture. Étrangement, encore, les hexagonaliens se sont choisi comme bête noire nº 1 l'humanisme et l'enseignement secondaire, alors que l'hexagonal est un sous-produit typique de cet enseignement.

Qu'un langage agisse sur nos « structures mentales » en même temps qu'il les reflète, la diffusion de l'hexagonal en témoigne éloquemment. Appeler la France « hexagone », c'est agir sur les résonances sensibles du mot et en modifier le concept même. Par ce tour de passe-passe linguistique qui fait glisser notre pays de la géographie à la géométrie, nous en altérons la notion traditionnelle; en refusant son aspect charnel, nous réduisons son contour, son relief et sa substance vivante à un schéma abstrait conforme au décor de la vie moderne. Ainsi, en marquant le passage d'une langue concrète à une langue désincarnée, la démarche hexagonale se présente comme un reflet significatif de notre évolution, ou, pour parler hexagonal : de notre devenir; plus le monde évolue, plus nous nous éloignons de la substance des choses. Au lieu de les vivre, nous les contemplons dans leur conditionnement contemporain, séparées de leur vérité sensorielle, aplaties et comme désodorisées, à travers les vitres d'une voiture ou l'écran d'un appareil de télévision. Ou encore comme matière à échange de vues philosophiques, sociologiques ou économiques.

En ce sens l'hexagonal marque non seulement une transformation du langage mais une véritable mutation dans les esprits.

Chaque vague de nouveauté le confirme dans son hermétisme ou son burlesque avec un apport de mots de plus en plus biscornus, de plus en plus savants ou de plus en plus hermétiques : retenons, à propos du bicentenaire, la « napoléonité ». Signalons comme un modèle le « processus biologique terminal [1] » qui veut dire tout simplement « la mort ».

Là nous nous trouvons en présence de la démarche euphémique, autre aspect de l'hexagonal, dont certaines créations semblent avoir une fonction essentiellement exorcisante : l'hexagonal conjure le mot brutal ou tabou : c'est en vertu de cette démarche que les peuples sous-développés deviennent des « nations en voie de développement »; la « modification de parité » nous a fait mesurer à quel péril

---

1. Relevé par André Piettre dans *La Culture en question*.

nous avons échappé en évitant la « dévaluation sauvage ». Cet hexagonal-là est inquiétant : manié par les pouvoirs publics, il devient un instrument de pression d'autant plus redoutable qu'il est plus doucereux. Son application systématique nous enferme dans une contradiction bien contemporaine en vertu de laquelle nul n'est censé ignorer une loi que nul n'est en état de comprendre. Imaginez l'ahurissement du brave artisan qui, à la tête d'une modeste entreprise, décide de consacrer quelques-uns de ses véhicules aux transports d'enfants, quand il se trouve devant ces prescriptions réglementaires fixées par l'arrêté du 17 juillet 1954, complété par les arrêtés des 4 mai et 12 juillet 1956 :

Le nombre d'enfants transportés debout autorisé sera le plus petit des quatre nombres D. 1, D. 2, D. 3, D. 4, ainsi définis :

D. 1 : quotient de la différence entre le poids total autorisé en charge « Pt » et le poids à vide du véhicule « Pv » augmenté du poids « M » des marchandises, par le poids forfaitaire de 30 kg de l'enfant transporté, diminué du nombre de places assises « A » (strapontins compris) :

$$D. 1 = \frac{Pt - (Pv + M)}{30} = A \; ;$$

D. 2 : déterminé par la condition que, le véhicule étant supposé entièrement occupé, la charge supportée par chaque essieu, compte tenu du poids des bagages et des marchandises, ne

dépasse pas celle qui est indiquée par le cons-
tructeur du châssis;

D. 3 : quotient de la surface mise à la
disposition des passagers debout par 0,15 m²,
diminué de 2 unités par strapontin installé, non
verrouillé, la surface mise à la disposition des
passagers debout ne pouvant comprendre les
accès aux portes;

D. 4 : la moitié des places assises (strapontins compris) :

$$D. 4 = \frac{A}{2}.$$

Etc.

Ce n'est qu'un exemple entre mille, encore
que celui-là soit plus mathématique qu'hexagonal proprement dit. On constate alors qu'un
des effets les plus redoutables de l'hexagonal
est de nous conduire insensiblement à voter
pour des programmes dont nous ne comprenons
pas un mot, à signer des feuilles d'impôts indé-
chiffrables et à dire *amen* à tout, par renonce-
ment. Notre vie de citoyens se réduit à un acte
de foi aveugle et permanent. Par le truchement de l'hexagonal, nous en arrivons, sans
nous en apercevoir et croyant obéir à la loi,
à nous soumettre à l'arbitraire insidieux de
gouvernements doreurs de pilules, noyeurs
de poissons et brouilleurs de cartes : pour
faire d'une loi un oukase, il suffit de la
rendre incompréhensible, et nous souscrivons
aujourd'hui aux choses comme nous signons

nos polices d'assurances : les yeux fermés.

À côté de cet hexagonal-opium du peuple, nous ne mentionnerons que pour mémoire l'hexagonal particulier des devis et des factures qui ajoute à l'exaction des pouvoir publics celle du secteur privé. Revenons à l'hexagonal culturel. Sous sa bannière, l'intelligentsia française en arrive à constituer une sorte de tribu isolée, un monde marginal. Ses membres apparaissent comme des espèces de gitans supérieurs qui communiquent entre eux dans un langage à part; or on sait combien sont suspects les gens qui parlent un langage que les autres ne comprennent pas. C'est pour tenter de dissiper cette suspicion néfaste aux intellectuels (les premiers visés sous tous les régimes) que nous avons décidé de publier cet ouvrage pratique, estimant que les masses doivent avoir accès à la culture de leur époque.

Soucieux de leur tendre la main et afin d'aider à leur promotion, nous avons rédigé ce manuel de conversation franco-hexagonal, à l'usage des étudiants désireux de s'initier au langage nouveau.

II

PETIT CATÉCHISME
A L'USAGE DES DÉBUTANTS

CE CHAPITRE se présente comme un résumé des notions élémentaires d'hexagonal destinées à l'étudiant pressé, mais néanmoins désireux de se constituer le langage de base qui lui permettra de discuter honorablement sur les sujets les plus couramment traités dans les salons et au café du Commerce : la politique et les beaux-arts. En ce qui concerne l'érotisme, qui tient une si grande part dans la vie culturelle contemporaine, nous renvoyons le lecteur au chapitre spécialement consacré à ce sujet important.

Nous avons choisi pour ce chapitre la forme du catéchisme en usage dans nos diocèses, forme didactique s'il en est, qui depuis de nombreux siècles a prouvé sa valeur éducative.

— *A quoi doit conduire l'option?*
— A une relance.
— *Dans quoi doit s'effectuer la relance?*
— Dans le cadre de la légitimité.
— *Que doit atteindre le ministre?*
— Le quorum.

— *Où conduit une relance qui ne s'effectue pas?*

— A une récession.

— *Peut-on remédier à une récession?*

— Oui, on peut remédier à une récession par une restructuration.

— *Les gouvernements sont-ils hostiles à une restructuration?*

— Non. Les gouvernements sont allergiques à une restructuration.

— *Que faut-il pour faciliter une restructuration?*

— Un électorat adulte.

— *Pourquoi l'électorat n'est-il pas adulte?*

— Parce qu'il est inclus dans un univers ludique.

— *Un ministre change-t-il d'idée?*

— Non. Un ministre a un comportement protéiforme.

— *Un ministre met-il un programme à exécution?*

— Non. Il engage un pari.

— *Qui fait échouer le pari du ministre?*

— Les groupuscules.

— *Un ministre est-il en baisse de popularité?*

— Non. Un ministre est au creux de la vague.

— *Qu'engendre le creux de la vague?*

— Un passage à vide.

— *Y a-t-il des professeurs à l'intérieur de l'Hexagone?*

— Non. Il y a des enseignants.

— *Comment s'appellent les collègues de l'enseignant?*

— Ses homologues.

— *L'enseignement sert-il à expliquer les notions nouvelles?*

— Non. Il sert à les expliciter.

— *Quels sont les principaux péchés mortels, en matière d'enseignement?*

— Les péchés mortels en matière d'enseignement sont les cours marginaux et les critères de sélection.

— *Qu'est-ce qu'un critère de sélection?*

— Un examen.

— *Les exemples doivent-ils être frappants?*

— Non. Ils doivent disposer d'un pouvoir d'impact.

— *Que doit être l'enseignement des langues lorsqu'il est bien fait?*

— Il doit être un fer de lance de la sémantique et des disciplines séméiologiques.

— *Arrive-t-il qu'un enseignant professe plusieurs matières?*

— Non. Il lui arrive d'être pluridisciplinaire.

— *L'enseignement a-t-il un but?*

— Non. Il a un propos.

— *A-t-il un emploi du temps?*

— Non. Il a un planning.

— *Apprend-on les langues étrangères?*

— Non. On s'initie à la grammatologie d'une ethnie.

— *Pourquoi est-il utile de parler la langue d'un pays étranger?*

— Parce que cela est sécurisant.

— *Où cela est-il sécurisant?*
— Dans le contexte de l'ethnie en question.
— *Dans quoi doit être perçu un contexte?*
— Dans son historicité.
— *Ou mieux encore?*
— « Au niveau » de son historicité.
— *Que favorise la connaissance d'un contexte?*
— Une prise de conscience.
— *L'enseignant a-t-il des petits-enfants?*
— Non. Il a des épigones.
— *A-t-il un numéro de téléphone?*
— Non. Il a des coordonnées.
— *A-t-il un bistrot favori?*
— Non. Il a un point de chute.
— *Pourquoi l'enseignant discute-t-il le coup dans son bistrot habituel?*
— Parce que le café a une fonction socio-culturelle.
— *L'enseignant mange-t-il?*
— Non. Il absorbe des calories.
— *Ces particularités sont-elles réservées à l'enseignant?*
— Non. Elles jouent sur l'ensemble des catégories sociales.
— *Pourquoi jouent-elles sur l'ensemble des catégories sociales?*
— Parce qu'elles sont exhaustives.
— *Quels sont les caractères particuliers à l'enseignant?*
— Ceux qui assurent sa spécificité.
— *L'étude de l'hexagonal est-elle limitée à l'Hexagone?*

— Non. Elle est ouverte aux ressortissants des ethnies d'expression française.

— *Qu'éprouvent au niveau de l'Hexagone les ressortissants des ethnies d'expression française?*

— Un complexe d'infériorité.

— *Comment est ce complexe?*

— Fondamental.

— *Que doit faire un Canadien pour échapper à son complexe fondamental?*

— Il doit assumer sa québecquité.

— *Un enseignant enseigne-t-il une matière?*

— Non. Il dispense une discipline.

— *Se met-il à l'étude d'une discipline?*

— Non. Il tente une approche.

— *Grâce à quoi peut-il réussir une approche?*

— Grâce à une démarche.

— *Où conduit la démarche?*

— Au centre de la question.

— *Qu'y a-t-il autour du centre de la queston?*

— Son environnement.

— *Le centre est-il ce qu'il y a de plus central dans une question?*

— Non. Il y a plus central que le centre.

— *Qu'est-ce qui est plus central qu'un centre?*

— Un épicentre.

— *Et qu'est-ce qui est plus typique qu'un type?*

— Un archétype.

— *Citez-moi quelques disciplines.*

— La littérature, la musique, la peinture...

— *Comment s'appelle celui qui s'adonne à la peinture?*
— Un plasticien.
— *Les musiciens donnent-ils des concerts?*
— Non. Ils proposent des confrontations.
— *Le tenant d'une discipline fait-il faire des progrès à son art?*
— Non. Il lui confère une dimension adéquate.
— *Un poète écrit-il des poèmes?*
— Non. Il tente une aventure poétique.
— *Par quoi passe l'aventure poétique?*
— Par un itinéraire intérieur.
— *Que doivent avoir les personnages d'une pièce de théâtre?*
— De l'épaisseur.
— *Qu'est-ce que la pièce?*
— Une quête.
— *Ou encore?*
— Un constat.
— *Que doit être une pièce de théâtre?*
— Une entreprise de démystification.
— *Ou encore?*
— De démythification.
— *Ou encore?*
— De désacralisation.
— *De désacralisation de quoi?*
— Des tabous sociaux.
— *A quoi aboutit une démystification des tabous sociaux?*
— A une remise en question des valeurs.
— *Quelles valeurs?*
— Les valeurs bourgeoises.

— *Qu'a le bourgeois?*
— Bonne conscience.
— *A quoi conduit la remise en question?*
— A une interrogation sur l'Être.
— *A quoi se heurte l'Être?*
— Aux frontières d'un monde clos.
— *Comment en sort-il?*
— Par une prise de conscience.
— *Le théâtre comporte-t-il des scènes mimées?*
— Non. Il est gestuel.
— *Quel est le pivot du théâtre gestuel?*
— L'expression corporelle.
— *Comment est le théâtre?*
— Le théâtre est total.
— *Où remonte le théâtre total?*
— Le théâtre total remonte aux sources de la dramatologie.
— *Comment appelle-t-on un groupe de jeunes?*
— Une pléiade de jeunes.
— *Qu'est-ce qu'un roman à grande diffusion?*
— C'est un roman qui aborde au niveau de la narration une réalité universellement perçue.
— *A quelle heure sort la marquise du roman qui aborde au niveau de la narration une réalité universellement perçue?*
— A cinq heures.
— *Où se situe l'action?*
— Aux confins du rêve et de la réalité.
— *Le roman est non sans quoi?*
— Le roman est non sans une certaine ambiguïté.

— *Sur quoi débouche le roman qui n'est pas sans une certaine ambiguïté?*

— Sur un ailleurs.

— *Comment écrivez-vous l' « ailleurs » sur lequel débouche un roman?*

— En italique.

— *Quel autre mot s'écrit en italique dans le vocabulaire de la critique d'art?*

— Différent.

— *Que projette le romancier sur un donné différent?*

— Un certain regard.

— *Un romancier fait-il des descriptions?*

— Non. Il fait l'inventaire d'un décor réifié à l'intérieur d'un champ de perception qui confère une perspective à la spécificité de l'objet.

— *Comment sont les tendances?*

— Profondes.

— *Et les forces?*

— Vives.

— *Et le contenu?*

— Intrinsèque.

— *Et l'antagonisme?*

— Fondamental.

— *Et la logique?*

— Interne.

— *Et le courant?*

— Irréversible.

— *Et le retour au passé?*

— Sclérosant.

— *Et l'aide?*

— Efficiente.

— *Et la volonté.*
— Inébranlable.
— *Et la recherche?*
— Fondamentale.
— *Et le document?*
— Exclusif.
— *Et la perspective?*
— Globale.
— *Comment proteste-t-on?*
— Solennellement.
— *D'où viennent les informations politiques?*
— Des porte-parole officieux.
— *La société comporte-t-elle des catégories sociales?*
— Non. Elle présente des clivages.
— *Devant qui se trouve-t-on quand les clivages font défaut?*
— Devant un continuum.
— *Le Code Napoléon est-il défavorable à la femme?*
— Non. Le Code Napoléon entérine l'aliénation de la femme.
— *Quel est le moteur de l'aliénation?*
— Le cloisonnement.
— *De quoi bénéficie une catégorie sociale non atteinte par l'aliénation?*
— D'un statut sociologique vécu.
— *Où se trouve le budget?*
— Dans une impasse.
— *Devant quoi se trouve un ministre?*
— Devant une fourchette.
— *Quelle est la conséquence d'une impasse?*
— Une détérioration de la situation.

— *Qu'entraîne une détérioration de la situation?*

— Un constat d'échec.

— *Comment se trouve l'électorat devant une détérioration de la situation?*

— L'électorat se trouve traumatisé.

— *Comment le ministre doit-il se tirer d'un mauvais pas?*

— Par une option.

— *Où formule-t-il les données de cette option?*

— Sur une plate-forme.

— *Le ministre se trouve-t-il en présence d'un problème épineux?*

— Non : il se trouve en présence d'un cactus.

— *Ou encore?*

— D'un oursin.

Il est bien entendu que l'étudiant trouvera un rappel de ces formules de base et un complément à ce catéchisme élémentaire dans le manuel de conversation consacré aux matières précitées.

Mais tel qu'il est, ce condensé lui permettra déjà de faire une figure très honorable dans une table ronde de la Télévision, ou d'adresser à des grands hebdomadaires de notre temps une « lettre de lecteur » publiable.

III

LE MANUEL DE CONVERSATION
FRANCO-HEXAGONAL

EN FRANÇAIS	EN HEXAGONAL

Dans la rue

Bonjour. Comment va votre père?	Bonjour. Comment va votre géniteur?
Bonjour. Comment va votre petit-fils?	Bonjour. Comment va votre épigone?
Ils passent leur examen.	Ils subissent leur check-up annuel.
Ils ont l'esprit de famille.	Ils se réalisent pleinement dans leur contexte tribal.
Bonjour, jeune homme. Et cette santé?	Bonjour, enragé. Et ce métabolisme?

Chez le coiffeur

Pourriez-vous m'indiquer l'adresse d'un coiffeur?	Pourriez-vous m'indiquer les coordonnées d'un capilliculteur?

C'est vous, le patron de l'établissement?	C'est vous, le gestionnaire de l'entreprise?
C'est le monsieur qui parle.	C'est le locuteur.
C'est celui qui parle en faisant des gestes.	C'est celui qui insère le discours à l'expression corporelle dans un rapport de complémentarité.
C'est celui qui est en train de discuter.	C'est celui qui est en train de développer une dialectique.
Il fait très bien les permanentes.	C'est un excellent permanentiste.
Peut-il me faire une ondulation permanente?	Peut-il me permanenter?
Je ne connais pas ce monsieur.	Ce monsieur est un élément incontrôlé.
Parle-t-on plusieurs langues dans votre magasin?	Votre magasin est-il un foyer de babélisme?
Porte-t-on encore les cheveux longs?	Porte-t-on encore des cheveux christiques?
On me pose la question plusieurs fois par jour.	Cette demande est pluriquotidienne.
Non. C'est démodé.	Non. C'est folklorique.

C'est ce qui plaît au plus grand nombre.

Celâ[1] procède d'une démarche maximaliste.

Je les porte ainsi pour faire comme tout le monde.

Je les porte ainsi par suivisme.

Chacun a ses idées là-dessus.

Ce problème fait l'objet d'une large ventilation des opinions.

La coquetterie est un sentiment bien humain.

La démarche perfectionniste, quant à l'habitus, est consubstantielle à l'être.

Je vous laisse une frange avec un cran?

Je vous fais une frange crantée?

Que me conseillez-vous d'autre?

Quelle solution de rechange me proposez-vous?

Êtes-vous partisan des corps gras?

Êtes-vous tenant des lipides?

Cela va de soi.

Automatiquement.

Certainement.

Il n'y a pas de problème.

Je suis hésitant.

Je me cantonne dans le marais des indécis.

Je vais essayer.

Je vais tester.

1. Cela, en hexagonal, se prononce avec un accent circonflexe : celâ.

Me ferez-vous un rasage en même temps?	Me ferez-vous un rasage corollaire?
C'est pour me sentir plus à l'aise.	C'est en vue d'un mieux-être.
Malheureusement, je n'ai pas assez de main-d'œuvre.	Malheureusement, je me heurte à un goulot.
Il y a des coiffeurs qui pratiquent plusieurs spécialités.	Il y a des capilliculteurs pluridisciplinaires.
Il faudrait vous adresser à un spécialiste.	Il faudrait consulter un organisme compétent.
On ne se croirait, jamais ici, dans une ville de province.	On ne se croirait jamais ici dans une métropole provinciale.
Votre salon est digne d'un établissement parisien.	Votre salon est une quintessence de Paris.
J'essaie d'échapper à la routine provinciale.	Je cumule les tentatives pour échapper au déphasage culturel des centres régionaux.
Nous nous sommes modernisés.	Nous avons rattrapé notre retard technologique.
Nos prix sont raisonnables.	Nos prix sont concurrentiels.

Il y a ici tout ce qu'il faut pour le bien-être du client.

L'endroit respire la technicité euphorisante des sociétés de consommation.

J'aime la couleur des murs.

J'aime la colorescence des murs.

Elle contribue à l'agrément général.

Elle constitue un facteur sensoriel bénéfique.

La présence de cette lampe apporte vraiment quelque chose.

Cette source lumineuse ajoute une touche supplémentaire.

J'ai transformé une bouteille.

J'ai procédé à la reconversion d'un flacon.

En effet, c'est plus seyant : il me semble que je redeviens moi-même.

En effet, c'est plus esthétisant. Il me semble que je réintègre mon identité.

Au café du Commerce

L'élève en sait déjà assez pour qu'on formule directement le thème de ce chapitre en langue hexagonale.

Nous dirons donc que...

Le café du Commerce, dans son contenu terminologique[1], témoigne d'une sémantique[1]

1. Voir ces mots.

ambiguë, en tant qu'on s'y adonne, conjointement à sa vocation intrinsèque, au commerce
des idées, particulièrement florissant au niveau
de [1] l'Hexagone.

On verra dans les pages qui suivent combien l'hexagonal revalorise les lieux communs,
élevant ces derniers à des hauteurs où ils
rencontrent parfois une poésie étrange et
neuve.

Voilà une nouvelle sur-prenante.	Voilà un scoop explo-sif !
C'est pas ça qui empê-chera la terre de tour-ner.	Ce ne saurait être en-visagé comme événe-mentiel.
C'est à peine croyable.	C'est à peine crédible.
Ça dépend des circons-tances.	C'est selon la contin-gence.
Dites voir, patron, l'appareil ne fonction-ne pas.	Dites voir, manager : nous assistons à un pourrissement généra-lisé du hardware.
Qui bien se connaît, bien se porte.	S'objectiver est un préalable à toute dé-saliénation.

1. Il est bon de se familiariser dès cette leçon avec
la formule « au niveau de » dont l'utilisation constitue,
avec les adjectifs « global » et « fondamental », une des
bases essentielles de la linguistique hexagonale.

Si le téléphone était exploité par des compagnies privées, il marcherait mieux.

Si le téléphone était privatisé, il carburerait mieux.

Les impôts? C'est bien simple : ce sont toujours les petits qui trinquent.

Les impositions sont établies selon la ligne de moindre résistance des forces sociales qui les supportent particulièrement.

Je vous certifie que c'est vrai.

C'est une information non biaisée.

Vous l'avez dit, monsieur!

Voilà le mot clef.

Ça aide à comprendre bien des choses.

C'est éclairant.

Il paraît que le patron va installer un poste de télévision.

Il paraît que le patron va procéder à une intégration de la technique audiovisuelle.

La radio fait une évocation avec des disques.

La radio a recours aux phénomènes d'actualisation expérientielle.

Y a-t-il une salle pour noces et banquets?

Y a-t-il un espace imparti aux célébrations de notre mythologie sociale?

C'est pas ceux qui en disent le plus qui en font le plus.

Il existe un clivage fondamental entre le logos et la praxis.

Comme le temps passe !	Nous sommes inclus dans une temporalité diachronique !
Ça c'est vous qui le dites !	Ça c'est un prédicat de base !
Vous m'aviez caché ça...	Vous m'aviez occulté ça...
C'est moi qui ai trouvé ce sac à main.	Je suis l'inventeur de ce bag.
C'est le conseil de direction qui décide de tout.	Les opinions majeures sont formulées au niveau de la troïka directoriale.
Le personnel est intéressé à l'affaire.	C'est une société à vocation participatrice.
C'est malheureux à dire, mais ce sont les plus amoureux les plus cocus...	L'infidélité pénalise injustement l'amour profond.
Ce ne sont pas mes oignons.	Je ne suis pas concrètement concerné.
Je suis un mordu du tiercé.	Je suis habité par la passion tiercésiste.
Il occupe une situation solide.	Il est fortement positionné.
Il a des relations.	Il est relationné.
Il y a des choses qui m'échappent.	J'ai des coupures épistémologiques.

Eh ben moi, monsieur, je ne fais pas de différences dans mon personnel.

D'après des gens qui le connaîtraient, il paraîtrait que cet acteur finit par se conduire dans la vie exactement comme dans ses films.

Cet acteur a beaucoup d'expression.

On finit par s'accommoder de tout.

Moi, je vous dis que les engrais chimiques, ça peut pas donner des produits vraiment naturels.

L'abus des drogues vient d'un sentiment d'insatisfaction.

Les institutions charitables font des placements inhabituels.

Eh ben moi, monsieur, je refuse d'hypostasier un groupe privilégié.

Selon des sources officieuses, ce comédien est l'objet d'une auto-transsubstantiation.

Cet actant a une forte expressivité.

Une situation insurrectionnelle ne tarde pas à faire place à une situation intégrationniste.

Moi, je vous dis que les engrais chimiques se situent dans la perspective de la vocation faustienne de la science.

Le recours aux hallucinogènes est consubstantiel à l'incomplétude fondamentale.

L'obsolescence des investissements est le propre des institutions caritatives.

Ça renforce ma convic-
tion.

Cela conforte mon pos-
tulat.

C'est un camarade
d'atelier.

Notre amitié s'est for-
gée au niveau de l'u-
nité économique de
base.

Une équipe de cham-
pionnat doit avoir une
tactique bien arrêtée.

Une équipe de cham-
pionnat postule un
corps de doctrine.

Ma foi, ça met un peu
de beurre dans les épi-
nards.

Ma foi, ça procure un
enrichissement paral-
lèle...

Les professeurs de l'é-
cole ont des chou-
chous.

Les enseignants du
groupe scolaire ont des
attitudes discrimina-
toires.

Vous ne dites pas le
plus important.

Vous mettez aux ou-
bliettes le problème
crucial !

Ces deux-là, ils sont
bien de la même race,
allez.

Ces deux-là sont bien
accordés par une rela-
tion ontologique, allez.

Moi, je ne fais pas de
préférences parmi mes
enfants.

Moi, je n'ai pas d'atti-
tude ségrégative au ni-
veau de la cellule fa-
miliale.

C'est difficile pour un
qui est passé par les
écoles de bien com-
prendre les ouvriers.

Il y a une dichotomie
fondamentale entre les
clercs et les masses.

Il y a des gens de métiers différents qui arrivent à se rencontrer pour discuter.

Des passerelles interdisciplinaires sont établies au niveau du symposium.

J'en connais des qui, mine de rien, et avec des pots-de-vin, arrosent le conseil municipal et font voter ce qu'ils veulent.

Il existe des lobbies à l'échelon municipal.

Le patron dégage un magnétisme irrésistible.

Le cadre supérieur exerce un pouvoir charismatique.

Les grandes écoles offrent des débouchés à ceux qui sont doués.

Le mandarinat offre de grandes possibilités de promotion aux éléments capables.

La carence alimentaire peut entraîner la venue d'un enfant mort-né.

La mortinatalité est un phénomène nutritionnel.

Ils furent heureux, ils eurent beaucoup d'enfants.

Ils contribuèrent à la poussée démographique dans le climat de bonne conscience inhérent à l'état de soumission envers l'ordre établi.

Je vais réduire mon personnel.

Je vais dégraisser mon organigramme.

Il y a de l'abus!	Il y a un paroxysme d'irrationalité!
Je vais être augmenté.	Ma masse salariale est en voie de revalorisation.
Nous allons en parler.	Nous allons établir une table ronde.
C'est un monsieur qui m'a toujours donné de très bons conseils.	C'est mon gourou.
On ne travaille pas mieux dans une tour d'ivoire.	L'enfermement n'est pas toujours un facteur de créativité.
Vous vous engagez à l'aveuglette.	Votre attitude est loin d'être prospective.
Il n'y a pas trente-six solutions.	Nous nous trouvons en présence d'une perspective univoque.
J'en ai fait une ébauche.	Je l'ai conçu en pointillé.
Ah! ben, ça c'est curieux : voilà que j'ai un trou de mémoire.	Étrangement, j'ai un hiatus.
On va lotir le terrain pour le morceler en petites propriétés séparées.	On va balkaniser le terrain.

Je n'ai pas à payer de patente.	Je ne suis pas patentable.
C'est un passe-temps agréable.	Ça détourne le peuple des voies de sa libération.
Je m'y connais un peu.	Ça recoupe ma spécialité.
J'ai du mal à me faire comprendre.	Mon énergie conceptuelle est court-circuitée au niveau de sa médiatisation.
J'ai souvent envie de dormir après manger.	Je suis sujet à des somnolences post-prandiales.
Dès qu'ils ont ça d'autorité, ils se croient tout permis.	Toute affirmation de puissance prend un contenu impérial.
Dieu apparut à Moïse sous forme d'un buisson ardent.	Moïse fut le témoin oculaire d'une théophanie ignée.
Personne ne sait d'où ça vient.	C'est un engin non identifié.
Ça, monsieur, faut pas compter qu'on baisse les prix.	Ça, monsieur, le réajustement des tarifs est un courant irréversible.
Il suffit qu'il me parle pour que je pense à autre chose.	Dès qu'il entame le dialogue, mon intérêt tombe en chute libre.

On en a embarqué un paquet dans le panier à salade, et on les a passés à tabac en beauté.

Plusieurs individus ont été interpellés.

On a arrêté des suspects.

On a interpellé des éléments incontrôlés.

Je n'aime que le bateau à voile.

Je suis un plaisancier inconditionnel.

Je bois surtout quand je me trouve avec des copains.

Je suis consommateur d'alcools sociaux.

Mes enfants vont se prendre un studio.

Nous sommes en voie de décohabitation.

Je quitte mon logement pour un logement plus grand.

J'accomplis un desserrement.

Je fais les magasins pour m'installer.

Je recours au marketing en tant que base de management.

Ce peintre a un coup de pinceau bien à lui.

Ce peintre a un langage plastique différentiel.

Ses personnages ont du mouvement.

Ses sujets ont de l'expression gestuelle.

Prochain rendez-vous même jour, même heure.

Prochain rendez-vous même tir, même hausse.

La bagarre

Ce paragraphe comble une lacune commune à tous les manuels de conversation : aucun d'entre eux ne présente de rubrique consacrée à la bagarre de rues. Or, c'est un fait reconnu que l'homme du xxe siècle vit dans la violence, que, pour un oui pour un non, il en vient aux mains et parfois jusqu'à mort d'homme.

A vrai dire, il n'y a pas lieu de s'en alarmer. C'est signe que nous revenons à la chevalerie; en l'homme d'aujourd'hui coule le sang d'un d'Artagnan, toujours prêt à en découdre pour des motifs futiles.

Seul le vocabulaire a changé. Dans ce domaine comme dans les autres, l'hexagonal a son mot à dire.

Les bagarreurs d'aujourd'hui échapperont à la vulgarité de nos altercations s'ils consentent à puiser dans le répertoire hexagonal les éléments d'un langage qui, tout en restant un reflet de notre temps, les rendra dignes des hautes époques de la civilisation courtoise.

| Chez moi, on demande pardon. | Dans mon environnement concret, on fait excuse. |
| De quoi, de quoi? | Pourriez-vous expliciter le contenu sémantique de votre discours? |

Écrasez. Inutile de vous attirer des histoires.

Opérez un dégagement. Inutile de formuler un concept qui peut avoir circonstanciellement son impact polémique.

Si je ne fais rien, ça peut continuer longtemps.

Dans l'hypothèse d'une attitude immobiliste de ma part, la situation tendra à perdurer.

Il finira par en prendre l'habitude.

Il finira par ritualiser ses comportements épisodiques.

Mettez-vous d'accord.

Convenez d'un préalable.

Pensez aux conséquences.

Envisagez les retombées.

Voyez plus loin que le bout de votre nez.

Adoptez une attitude prospective.

Qu'il commence par se mettre d'accord avec lui-même.

Qu'il commence par normaliser ses concepts coordonnables.

Et puis, il n'y pas que ça!

Et puis il y a des concomitants.

Et puis d'abord je n'aime pas beaucoup cette façon de raisonner.

Et puis d'abord, je suis allergique à cette pratique discursive.

Très bien. J'enregistre...	Très bien! je connote.
Que voulez-vous, il n'est pas intelligent...	Que voulez-vous, il a un quotient intellectuel bas.
Il est batailleur.	Il est pugnace.
Celui qui me cherche, il me trouve.	Je vous préviens qu'en présence d'une attitude belliciste, ma force de dissuasion est prête à intervenir.
Eh bien, prends garde au choc en retour.	Eh bien, prends garde à l'effet boomerang.
Je commence à en avoir par-dessus la tête.	Je commence à témoigner de syndromes d'impatience.
Laissez-le, vous voyez bien qu'il est énervé.	Laissez-le, vous voyez bien qu'il n'assume pas sa tension interne.
Il faut réduire la querelle à ses justes proportions.	Il faut dédramatiser la situation.
Il y a de la bagarre dans l'air!	Nous nous trouvons en présence d'une situation conflictuelle.
Évitez quand même de vous battre.	Différez quand même l'affrontement.

Après tout ce qu'on s'est dit, on ne peut plus reculer.

Nous avons atteint le point de non-retour.

Je n'ai pas le choix...

Je me trouve dans un enfermement.

Vous n'allez pas lui faire de mal.

Vous n'allez pas le victimiser !

Laissez-moi faire : je prends mes responsabilités.

Laissez-moi le champ libre : j'assume ma détermination sous ma juridiction propre.

Il ne dit que des c...

Il n'émet que des sous-jugements.

La brute ! Il lui saute dessus !

Le sous-développé mental ! Il l'agresse !

C'est de la sauvagerie.

C'est de l'arriération.

Une humeur trop querelleuse peut vous conduire en prison.

La pugnacité est délictuelle.

Vingt-deux, les flics !

Attention, les forces de l'ordre !

Allez, passez l'éponge et n'en parlez plus.

Allez, accordez-vous un quitus pour le passé et un aval pour l'avenir et faites le black-out.

Il faut être un peu plus sociable !

Il faut avoir davantage d'intensité relationnelle.

Les autres

Ils nous occupent beaucoup.

Avec l'hexagonal, le ragot atteint à la scientificité valorisante du diagnostic psychosomatique et la promotion qualitative du discours est une concomitante de cette démarche. (Nous vous supposons suffisamment avancés dans la pratique de l'hexagonal pour vous trouver à même d'assimiler le contenu de cette courte introduction.)

C'est un emmerdeur.	C'est un caractériel.
C'est un sentimental.	Il est viscéral.
Il se fait du tort.	Il a une conduite auto-mutilatoire.
Ça se voit comme le nez au milieu de la figure.	Ça exsude.
Il veut p... plus haut qu'il a le c...	Il transcende ses limitations.
Ils font tous la même chose.	Ils ont un comportement monolithique.
Le crépuscule le rend triste.	Il a des anxiétés à recrudescence vespérale morbide.
Tel qu'il est, il me plaît.	Dans sa vérité ontologique, il m'agrée.

Ils s'entendent comme larrons en foire.	Ils sont liés par un facteur de cohésion extrinsèque d'ordre socio-affectif.
Il est d'une ignorance crasse.	Il se situe au degré zéro du non-encore-savoir.
Ça lui a fait un coup.	Il a ressenti un choc émotionnel.
Il a des idées préconçues.	Il n'est pas libre de structurations psychiques prédéterminées.
Il se sous-estime.	Il se minimise.
Il a des vues théoriques.	Il systématise dans un ensemble conceptuel.
Il est tolérant.	Il accepte l'autre comme tel.
Il n'est pas maître de lui.	Il pèche par défaut d'autodiscipline.
Je n'arrive pas à le comprendre.	Ses attitudes mentales m'échappent.
Il est maigre.	Il est filiforme.
Il est individualiste.	Il tend à magnifier son autonomie.
Il ne rougit pas d'être noir.	Il assume sa négritude.
C'est un monstre.	C'est une entité.

Il n'est pas équilibré.	Il est en état d'inconfort.
Il est original.	Il est psychédélique.
Il se laisse prendre aux apparences.	Il a des réactions épidermiques.
Je n'arrive pas à comprendre sa façon d'agir.	Je n'arrive pas à élucider les lignes de force qui sous-tendent sa détermination.
Ses parents manquent de tendresse envers lui.	Il souffre d'une carence affective parentale.
Les gens du Nord sont un peu à part.	La nordicité confère des attitudes différentielles.
Il se considère comme au-dessus des lois.	Il se pense comme irréductible à l'isonomie.
Il cache ses sympathies.	Il occulte ses tropismes.
Il cherche sa voie.	Il est en quête d'un processus d'auto-régulation interne.
C'est une façon de voir qui se défend.	Ce sont des normes ayant leur légitimité interne.
Les gens sont amorphes.	Les gens stagnent dans l'acceptation de la non-activation des contradictions archaïques.

C'est la faute des autres.	C'est un mal exogène.
C'est un paumé.	Il appartient aux forces sociales de moindre résistance.
Il n'y a que le tramway qui ne lui est pas passé dessus, à celle-là.	Elle se tient en état de disponibilité permanente.
Il est abruti par l'alcool.	Ses structures mentales sont déconnectées par l'éthylisme.
La plus petite chose l'irrite.	Le moindre affect l'agresse.
Il se faufile partout.	Il élargit pluridimensionnellement son acte d'insertion.
Ça fait du tort à sa réputation.	C'est dommageable à sa saga.
Il est trop indulgent.	Ses attitudes mentales sont exagérément permissives.
Dès qu'il fait nuit, c'est comme si elle sentait des présences partout.	Elle ressent la peur cosmique.
Il tient à passer inaperçu.	Son habitus est banalisé.

En voyage

J'ai été sensible aux arguments de votre prospectus.	J'ai subi le processus de votre dépliant.
La description est très complète.	La nomenclature est exhaustive.
J'ai vu beaucoup de pays.	J'ai vu maintes masses géo-historiques.
Les petits pays ont leur charme.	Les régions sous-dimensionnées recèlent un contenu émotionnel certain.
Ce département est éloigné de Paris.	Ce département est excentré.
J'aime flâner sur les grands boulevards.	J'aime flâner sur les rocades.
J'aime rêver dans les villages.	J'aime rêver dans les complexes ruraux.
C'est ma distraction favorite.	C'est mon hobby usuel.
Les gens désertent les campagnes parce qu'ils y gagnent mal leur vie.	Le sous-vivre est un facteur de désaffection des centres ruraux.
Vous parlez le patois local?	Vous parlez le langage vernaculaire?
Quelle étendue!	Quelle vastitude!

C'est très vert.	C'est un paradis chlorophyllien.
Dans la nature, tout a son utilité.	La nature est finalisée.
Ça me change les idées.	Ça influence mon système de conditionnement nerveux.
Ça vous change de la ville.	Ça change du conglomerat urbain.
Je me sens perdu dans cette ville.	Je me sens déphasé dans ce contexte urbanistique.
C'est une grande ville de banlieue où il y a tout ce qu'il faut.	C'est une ville satellite autonome.
Il y a peu d'habitants ici.	Cette aire est d'un poids démographique minimal.
Fait-on des prix aux usagers?	Y a-t-il un désarmement tarifaire pour les utilisateurs?
Où est le drug-store?	Où est le pôle d'animation régionale?
Où sont les vieilles maisons?	Où sont les immeubles vétustes?
Après la salle des fêtes.	En aval du foyer rural.
Vous prenez la rue qui est au milieu.	Vous empruntez l'artère radiale.

Près de l'église.

Près du complexe paroissial.

J'aime ce dépaysement.

J'aime ce déplacement de mes conditions spatio-temporelles.

Il y a une usine et un hôpital.

Il y a des lieux mythiques.

Il est instructif de se rendre compte des choses.

Il est éclairant d'étudier le donné.

Ce monsieur n'est pas de la paroisse.

Ce quidam ne fait pas partie de l'unité pastorale.

Les enfants jouent aux métiers dans la cour de l'immeuble.

Les enfants jouent aux catégories socio-professionnelles dans l'aire de l'unité d'habitation.

Ce sont des immeubles neufs, construits en pleine nature.

C'est une réalisation intégrée à un paysage centenaire.

Les rues se coupent à angle droit.

L'orthogonalité préside à la conception des voies d'accès.

Ils sont d'un accès facile.

Ils sont d'une accessibilité optimale.

La ville se développe.

L'agglomération se madréporise.

La ville se confond avec la banlieue.

La conurbation se réalise.

On va construire un grand ensemble.

On va construire un ghetto sociologique.

Notre architecte sait imposer ses idées à ses élèves.

Il se dégage du magistère de l'architecte un autoritarisme conceptionnel parfois incommodant.

C'est le quartier des écoles.

C'est le quartier des UPS (Unité pédagogique de Synthèse).

On va bientôt bâtir ici.

Vous êtes en pleine ZUP (Zone d'Urbanisation Prioritaire).

Il y aura un seul lycée pour les garçons et pour les filles.

Nous allons mettre sur orbite la mixité scolaire.

Où est la bibliothèque?

Où est le centre de matériel pédagogique?

Une ville sans expositions de fleurs? C'est étonnant!

Une ville sans floralies? C'est singulier!

C'est un oiseau qui vient de France.

C'est un oiseau endogène.

Il y a de plus en plus d'usines.

Le centre de gravité de la société industrielle se développe.

Il y a un hôpital pour les étudiants.

Un C.H.U. a été institué.

Les gens habitent le centre de la ville.

C'est une cité dortoir.

Les maisons d'habitation sont dans la banlieue.	Le suburb résidentiel offre de nombreuses possibilités d'habitat.
C'est un endroit très actif.	C'est un secteur de pointe.
Il y a de nombreuses couches sociales.	Il y a des strates.
En province, on rencontre toujours les mêmes gens.	La province est un univers clos.
Ce pays subit l'influence bretonne.	Cette zone est un glacis armoricain.
Où est le garage?	Où est la clinique automobile?
A côté du marbrier.	A côté du monumentiste.
A côté du pépiniériste.	A côté du jardiniste.
Par où sort-on?	Où se trouve l'artère de dégagement pour piétons?
Quand a lieu le prochain concert?	Quand se déroule la prochaine confrontation?
Y a-t-il un docteur de médecine générale?	Y a-t-il un omnipraticien?
Où est l'hôtel?	Où sont les structures d'accueil?

Près de la piscine.	Près du stade nautique.
Ici, on parle plusieurs langues.	Ici, c'est un foyer de plurilinguisme.
Vous êtes mon sauveur!	Vous êtes mon salvateur.
Je voudrais parler avec l'interprète.	Je voudrais établir un dialogue avec l'interprète.
Je ne me rappelle pas ce mot.	Je ne mémorise pas ce vocable.
Je m'appelle Durand.	Mon nom patronymique est Durand.
Le chasseur va ranger votre voiture.	Le parking est assuré par chasseur voiturier.
Dans cette chambre, on n'entend pas un bruit.	Cette aire jouit d'une insonorisation parfaite.
Peut-on régler la température?	Y a-t-il un graduateur d'ambiance?
Je vais en parler au plombier.	Je vais en parler au chauffagiste.
Ce sont des stores en matière plastique.	Ce sont des volets roulants en chlorure de polyvinil.
Les fenêtres donnent sur la mer.	Les baies débouchent sur un espace marin.

J'entends les douze coups de minuit.	Je perçois les douze coups de zéro heure.
Y a-t-il une salle de repos?	Y a-t-il une pièce de réflexion?
Voulez-vous signer ce livre d'or?	Voulez-vous cautionner ce contenu apologétique?

La société de consommation

Achat et vente

Je voudrais faire quelques petits achats à droite et à gauche.	Je voudrais opérer des transactions parcellaires.
Pouvez-vous m'indiquer un endroit où il y a beaucoup de magasins?	Pouvez-vous m'indiquer un haut lieu de l'activité mercantile?
C'est un quartier où il y a des boutiques.	C'est un secteur où il y a des points de vente.
Vous verrez des boutiques qui se ressemblent.	Vous verrez des structures parallèles.
Y a-t-il un tailleur?	Y a-t-il un habilleur?
Y a-t-il des grands magasins	Y a-t-il de grandes surfaces?

Chez le libraire

Avez-vous des petits ouvrages un peu cochons?	Disposez-vous d'écrits sulfureux?
Je m'intéresse surtout à l'histoire.	Je suis concerné prioritairement par le discours du continu.
...à l'histoire de France.	...par le discours du continu au niveau de l'Hexagone.
On va rééditer Anatole France.	Anatole France s'apprête à sortir du ghetto où on l'a longtemps confiné.
On lit moins Gide.	Gide est entré au purgatoire.
Le fait d'écrire des histoires qui ont un commencement, un milieu et une fin prouve bien qu'il n'est pas d'aujourd'hui.	Sa temporalité exclut sa contemporanéité.
Je voudrais une grammaire.	Je désirerais une grammatologie.
La grammaire devient très savante.	La grammatologie a acquis un degré de scientificité élevé.
Je m'y connais un peu.	C'est un sujet qui recoupe ma spécialité.

Je l'ai lu très vite.	Je l'ai parcouru en diagonale. (Ou : ... en pointillé.)
Je préfère un format classique.	Je préfère un format normalisé.
C'est un ouvrage distrayant.	C'est un gadget culturel.
On ne voit pas à première vue son caractère religieux.	Ses rémanences du sacré sont insenties.
Je cherche des histoires où il y a des bons et des méchants.	Je cherche des écrits manichéens.
Ça raconte une histoire?	C'est caractérisé par le primat du sujet?
C'est un ouvrage inquiétant.	C'est un ouvrage qui nous entraîne au seuil de l'infra-réel.
On ne sait pas très bien où va l'action.	Le fil rouge est occulté.
Je fais partie du club des bandes dessinées.	Je fais partie du centre d'études des littératures d'expression graphique.
Je fais partie du club des bandes dessinées.	Je suis inscrit au C.E.L.E.G.
Nos livres sont classés par genres.	Nous avons établi des divisions catégorielles.

La couverture est en huit couleurs.	La jaquette est octochrome.
Ça représente un monstre légendaire.	Ça représente une entité qui figure au bestiaire des archétypes.

Disques

Y a-t-il un magasin de disques?	Y a-t-il un point de vente consacré à l'animation musicale des loisirs?
Je voudrais un disque.	Je voudrais une plaque.
Cet enregistrement a été fait dans les meilleures conditions.	Cette prestation a été réalisée dans des conditions de technicité optimales.
Est-ce que vous vendez aussi des électrophones?	Englobez-vous la machine parlante?
On enregistre votre voix.	On produit des phénomènes d'actualisation expérientielle.

Objets divers, cadeaux, etc.

Votre étalage est tout à fait dans le vent.	Votre étalage procède essentiellement d'une démarche moderniste.

Je voudrais faire un très beau cadeau.

Je voudrais faire un maxi-cadeau.

Son caractère d'unité contribue à la beauté de votre décoration.

La décoration est esthétisée par ses structures ensemblistes.

Ce vendeur n'est pas très aimable.

Ce conseiller n'est pas très extraverti.

Il m'a pourtant été recommandé par des gens sûrs.

Il est pourtant sérieusement référencé.

Je ne voudrais pas d'un modèle qu'on trouve partout.

Je ne voudrais pas un stéréotype.

Je voudrais des objets un peu bizarres.

Je voudrais des structures qui témoignent pour un univers fabuleusement autre.

C'est une espèce de bidule.

C'est un stabile.

C'est très joli.

Ça accède au statut d'œuvre d'art.

Je voudrais une planche représentant des fleurs.

Je voudrais un planisflore.

Achetez des valises *Excel*.

Bagagez *Excel*.

C'est une nouveauté.

C'est une novation.

C'est un verre de métal.	C'est un outil à boire.
Soucieux de la qualité, nous avons fait appel aux meilleurs décorateurs.	Conscients de notre rôle d'organisme-pilote dans le domaine de l'environnement et de l'importance des techniques de l'image dans la sensibilisation de nos contemporains, nous nous sommes tournés vers les meilleurs stylistes pour leur proposer de nouvelles formes de collaboration dynamique.
C'est une innovation.	C'est un pari contre le passé.
Ça marche à l'électricité.	C'est électromatique.
Avez-vous une bonne lame de rasoir?	Avez-vous une lame de rasoir ayant reçu une pulvérisation de polytétrafluoréthylène?
Je ne peux pas vous dire combien il y en a!	Je ne peux pas quantifier.
Je peux vous dire combien il y en a.	C'est statistiquement mesurable.

Il est accompagné d'un mode d'emploi.

Sa finalité est axiomatisée.

C'est étudié pour.

Sa finalité est rationalisée.

Mettez-m'en une vingtaine.

Mettez-m'en un score.

Je vous le livre dans un emballage?

Je vous le livre dans un conditionnement?

Je vous le livre dans une boîte?

Je vous le livre dans un conteneur?

L'alimentation et la restauration

C'est une épicerie modèle.

C'est un self-pilote.

Nous sommes en train de faire des changements.

Nous sommes en pleine mutation.

Les affaires vont bien.

Nos marges sont substantielles.

C'est un produit qui se vend beaucoup.

C'est l'épine dorsale de la consommation de pointe.

Les oranges séchées sont une nouveauté.

Les agrumes lyophilisés sont une novation.

Je ne me rappelle plus le nom.

J'ai un hiatus.

Je n'accorde de préférence à aucune marque.

Je n'hypostasie pas un holding particulier.

Ça fait des années que nous faisons le hot-dog.

Des générations de hot-dogs se sont succédé sur ce comptoir.

Il y a un buffet chaud et un buffet froid.

Nous avons actué la mythologie du cru et du cuit par le truchement d'un snack.

Buvez une boisson à la mode.

Buvez jeune.

Vous devriez prendre un yaourt.

Vous devriez réensemencer votre flore intestinale.

Nous lui avons donné une qualité exceptionnelle.

Nous l'avons excellisé.

Prenez quelque chose de plus consistant.

Protéinez votre déjeuner.

Je n'aime pas les bouts filtres.

Je fume en direct sur la langue.

La bière est très rafraîchissante.

La bière est une sensation stimulante.

Je vous mets un zest et un glaçon?

Je vous le sers zesté et glaçonné?

C'est un cocktail très corsé.

C'est un mélange explosif.

Vous devriez vous mettre au régime.	Vous devriez procéder à une révision alimentaire.
Voulez-vous une côtelette de mouton?	Voulez-vous un lamb chop?
Que diriez-vous d'un grand plateau de hors-d'œuvre variés?	Que diriez-vous d'un marathon gastronomique?
Je voudrais un ravioli avec beaucoup de fromage.	J'aimerais un ravioli tout fromage.
Je vais vous choisir une bouteille.	Je vais vous sélectionner un cru.
Vous pouvez en boire autant que vous voulez.	Vous pouvez en user discrétionnairement.
J'aime mieux choisir tout seul.	Je préfère assumer mon autonomie.
C'est bon pour la santé.	C'est un produit d'une haute valeur diététique.
Ici, vous trouvez l'indispensable.	Ici, vous trouvez tout ce qui concerne votre infrastructure de base.

L'argent et les marchandises

Je ne peux pas mettre au-delà d'une certaine somme.	Je me heurte à un seuil.

Vu le peu d'argent qui me reste, je n'ai pas le choix.

Vu la réduction du volant de mes disponibilités, je me trouve devant une perspective univoque.

Vous faites une remise?

Vous faites un discount?

Je n'ai pas d'argent.

Je ne dispose pas de liquidités.

J'attendrai une baisse de prix.

J'attendrai un désarmement tarifaire.

Actuellement, je n'ai pas les moyens.

Ma conjoncture monétaire est défavorable.

Je vais voir ce que je peux faire.

Je vais étudier mon éventail de disponibilités.

C'est ennuyeux, mais quand on ne peut pas satisfaire à la demande, les prix augmentent.

C'est préoccupant, mais la surchauffe constitue un état de préinflammation.

Il ne me manque que quelques produits.

La surchauffe est parcellaire.

La qualité a baissé depuis que les associés se sont séparés.

Le niveau a régressé depuis la scission interne.

C'est un produit de qualité supérieure.

C'est l'alpha et l'oméga.

Ne croyez pas que nous gagnions beaucoup d'argent.	N'allez pas penser que nous réalisons des superbénéfices.
Ça ne rapporte pas beaucoup.	C'est médiocrement rentabilisant.
J'aime prendre mes précautions.	Je suis préventionniste.
Ça peut concurrencer les produits analogues de n'importe quel pays.	C'est un module à l'échelle du monde occidental.
Ça fait une grosse dépense.	Ça postule une imputation maximale.
Nous comptons faire baisser progressive-les prix.	Nous comptons procéder à des aménagements scalaires.
Vous faites crédit?	Vous avez institutionalisé la vente à tempérament?

Modes, lingerie, confection

Est-ce que je peux échanger contre autre chose?	Est-ce que je peux effectuer une commutation?
Il faut savoir ce qu'on veut.	Il faut penser ses motivations.
Pourriez-vous m'expliquer pourquoi vous préférez ce modèle?	Pourriez-vous objectiver votre option?

C'est par comparaison avec les autres.	Ça procède d'une démarche comparatiste.
Nous vendons beaucoup de choses différentes.	Nous avons plusieurs secteurs d'activité.
A mon rayon de confection, j'ai adjoint un rayon de lingerie.	J'ai opéré une concentration par l'aval.
Je vais racheter le restaurant.	Je vais absorber le drug.
Allez voir au rayon de vêtements féminins et au rayon pour homme.	Allez voir à la bi-boutique.
Y a-t-il un bottier?	Y a-t-il une clinique des pieds sensibles?
C'est vendu avant même d'être exposé.	C'est prévendu.
Ce sont des dessous à base de nylon.	C'est un panty polyamide.
Ce chandail ne contient pas de nylon du tout.	Ce pull est 100 pour 100 acrylique.
Le vendeur va vous expliquer tout ça.	Le conseiller va assurer par l'oralité l'exposé argumentaire.
Je voudrais une pochette assortie à la cravate.	Je voudrais une pochette en contrepoint à la cravate.

Ce soutien-gorge est très adapté.	Ce soutien-gorge est à votre rythme.
Ce soutien-gorge est d'un modèle nouveau.	C'est un soutien-gorge inédit.
J'ai un grand choix de tissus très jolis.	Je dispose d'une gamme raffinée de tissus.
Le produit que voici n'a pas son pareil.	C'est un isolat hors pair.
C'est fait à la main.	C'est hors automation.
Nous nous efforçons de suivre la mode.	Nous nous efforçons d'intégrer les mutations.
Ça met bien la poitrine en valeur.	C'est supermoulant.
Ça vous fait paraître très mince.	C'est très gainant.
Je crois que j'ai le coup de foudre.	Je crois que j'ai le choc-charme.
Cette gaine affine votre ligne.	Cette gaine gomme vos nodosités cellulitiques.
Les jupes longues ne conviennent pas aux petites femmes rondelettes.	Les maxi ne vont pas aux boudins.
Je voudrais des chaussures qui respirent mais qui ne soient pas en cuir.	Je voudrais des chaussures en matière synthétique poromère.

Le pied y est à l'aise.	Elles ont un bon chaussant.
Elles ne font pas mal.	Elles chaussent avec confort les pieds difficiles.
Voici un chemisier à petits plis qui sera tout à fait assorti à votre jupe.	Voici un chemisier nervuré qui sera tout à fait coordonné à votre jupe.
Ça va partout et aussi bien à la chaleur qu'au froid.	Ça vous assure un confort toutes saisons et une élégance toutes circonstances.
C'est un tissu qui fait sport.	C'est du virilon dynamiseur masculin 100 pour 100 naturel à base de ginseng.
Cette gaine ne glisse pas.	Cette gaine est pourvue d'une bande élastique antidérapante.
Je vous propose un soutien-gorge rembourré.	Je vous propose une corbeille de charme avec renfort amovible en mousse aérée.
Ne bougez pas.	Évitez les métamorphoses posturales.
C'est un petit slip.	C'est un cache-rien.
C'est un grand slip.	C'est une gainette invisible.

Je voudrais un modèle à petites rayures.	Je voudrais un modèle à minirayures.
Je vais vous faire un beau paquet.	Je vais vous trier un conditionnement extra.
Votre bébé aura bien chaud dans ces lainages.	La douce onctuosité de ces lainages assure un haut pouvoir couvrant sans gravelures [1].
Ce sont des sandales importées d'Afrique.	Ce sont des sandales qui viennent du chaud.

Hygiène et produits de beauté

Êtes-vous la directrice de l'Institut de beauté?	Êtes-vous l'esthéti-cienne-cosméticienne?
Avez-vous une pommade qui nettoie bien?	Avez-vous une pommade désincrustante?
Avez-vous une pommade qui empêche de briller?	Avez-vous une pommade matifiante?

1. Je transcris l'énigmatique mot « gravelures » tel qu'il est formulé dans la publicité du produit. La définition qu'en donne le dictionnaire est « propos libres licencieux ». Il est vraisemblable qu'elle n'est pas valable pour ce cas précis, et que ce mot a subi un changement de sens total en passant de la langue française à la langue hexagonale.

Avez-vous une pommade qui ne graisse pas trop?

Avez-vous une pommade avec des stéarates onctueux?

Avez-vous de nouvelles pommades?

Avez-vous de nouvelles lignes de produits de soins?

Avez-vous une crème très grasse?

Avez-vous une crème surgrasse?

Avez-vous une crème qui ne donne pas de boutons?

Avez-vous une crème sans constituants sensibilisants?

Avez-vous une crème qui repose?

Avez-vous une crème avec des éléments antifatigue?

Avez-vous la crème des crèmes?

Avez-vous une crème amincissante polyvitaminisée?

Avez-vous un bon shampooing?

Avez-vous un shampooing non ionique?

Avez-vous un shampooing qui mousse bien?

Avez-vous un shampooing supermoussant?

J'aime les shampooings qui se présentent sous la forme d'une petite boule dure.

Vive la révolution solide!

Avez-vous un bon produit de beauté pour la peau?

Un produit de beauté agréable à la peau?

Un produit pour peaux grasses très efficace?

Une alèze?

Un produit à action externe et interne?

Un produit qui enlève les points noirs?

Un désodorisant qui dure toute la journée?

Un désodorisant qui dure toute la journée?

Ça empêche de grossir.

J'ai la peau sensible.

Votre visage peut se flétrir.

Je cherche un vaporisateur.

Avez-vous un sérum tissulaire avec des bio-stimulatives précieuses pour vitaliser l'épiderme?

Un sérum avec une vitamine gaie?

Un superdégraissant superconcentré?

Une feuille de polyéthylène?

Une base traitante qui stabilise, structure et satine?

Un traitement séborégulateur?

Un déodorant à action relais?

Un déodorant qui ne vous lâche pas?

Ça évite de stocker en kilos.

Ma peau ne digère pas tout.

Votre beauté peut perdre l'équilibre.

Je cherche un diffuseur de parfum.

Je cherche un vaporisateur.

Je cherche un propulseur.

Voici un dentifrice qui parfume l'haleine.

Voici un dentifrice qui permet le dialogue.

Avez-vous un sèche-cheveux réglable pourvu d'un morceau de mica pour voir au travers?

Avez-vous un sèche-cheveux à multi-allures de séchage avec visière télescopique?

IV

LA VIE CONJUGALE

Dans ce secteur consacré à la vie conjugale, nous allons faire un peu plus ample connaissance avec l'hexagonal publicitaire : c'est une branche de l'hexagonal que nous retrouverons souvent dans cette étude. Mais, d'ores et déjà[1], nous pouvons mesurer la qualité de cet apport, la richesse de ses images, l'originalité de sa syntaxe et l'inattendu de ses néologismes dans leur dosage envoûtant de poésie et de scientificité. La vie conjugale, telle qu'elle se présente ici, s'arrête au seuil de l'alcôve.

EN FRANÇAIS	EN HEXAGONAL
Il me faudrait un peu plus d'argent pour les achats.	Il te faut repenser l'imputation de ton budget-boutique.

1. « D'ores et déjà » est un hexagonalisme qui depuis un an ou deux occupe une place importante dans la langue nouvelle, où il tend à remplacer « dès maintenant ».

Il faut que j'en parle au bijoutier.	Il faut que j'en touche un mot au gemmologue.
C'est moi qui m'occupe de tout.	Je suis requise par la problématique du quotidien.
Je veux bien les inviter, mais je ne veux pas me ruiner.	Nous allons faire une saucisson-party.
Je vais acheter un petit tonneau.	Je vais acheter un minifût.
Qu'est-ce que tu comptes faire aujourd'hui?	Quel est ton schéma directeur de la journée?
Nous nous entendons bien, sur bien des points.	Nous avons plusieurs dénominateurs communs.
Tu m'as fait changer d'idée.	Tu as ébranlé mon édifice conceptuel.
Ça travaille dans mon esprit.	Je ne pense plus, je suis pensé.
Ça aide à vivre.	Ça aide à perdurer dans l'être.
Voilà qui me donne beaucoup d'espoir.	Voilà un fait porteur d'avenir.
Ça en dit long.	C'est éclairant.
Je suis complètement abruti.	Je suis complètement lobotomisé.

Il y a des couples qui ne sont jamais d'accord.

Il y a des couples qui ont des exigences difficilement coordonnables.

Nous sommes faits l'un pour l'autre.

Nous nous inscrivons dans un rapport de complémentarité.

Chaque âge à ses plaisirs.

Il faut tabler sur la périodisation.

Il y a entre nous des silences éloquents.

Nous avons des dialogues d'ondes porteuses.

C'est un moment décisif.

C'est une minute de vérité.

La forme du nez est une chose très importante, dans un visage.

Le nez est la clef de voûte de l'expression.

Tu es mince.

Tu as le corps fluide.

J'ai suivi un régime.

Je subis un traitement individualisé antirondeurs.

Je suis naturellement mince.

J'ai une morphologie filiforme.

Tu ne pourrais pas faire partir cette tache?

Tu ne pourrais pas faire digérer cette tache?

Cette lessive est très efficace.

Ces enzymes sont gloutons.

Cette lessive est très efficace.	Ces acti-enzymes sont gloutons.
Cette lessive est très très efficace.	Il y a là une forte concentration de multi-enzymes.
Elle a beaucoup de succès.	Elle a conquis des couches d'acheteurs de plus en plus larges.
C'est bien nettoyé.	Une meute d'enzymes a fait capituler les taches.
C'est une marque nouvelle de cigarettes.	C'est une cigarette au rythme de notre temps.
Nous ne voyons pas les choses de la même façon.	Nous avons des attitudes différentielles.
Voici une robe dont j'ai eu une envie soudaine.	Voici une robe folie.
C'est le tissu à la mode cet été.	C'est le tissu-choc de l'été.
Cette eau de Cologne tient longtemps et elle est très agréable.	Je me suis promené de huit heures à minuit à l'intérieur de mon eau de Cologne sans m'ennuyer.
Ce petit slip est bien conçu.	Ce minislip prouve l'intuition créatrice du novateur.

Il m'avantage et il faut voir comme il tient bien!

Il est le seul à ne pas couper les formes, et il faut éprouver l'élastique breveté et garanti qui l'accroche aux hanches!

Il se présente dans une belle pochette.

Il est identifiable grâce à son conditionnement luxueux.

Voici une boîte en carton qui conserve la glace.

Voici une frigiboîte.

Tiens, je t'ai apporté trois bouteilles de bière dans un carton.

Tiens, je t'ai apporté un tripack de bière.

Je regarde sa couleur.

Je mire sa brillance.

Je goûte la mousse.

Je contrôle le serré de la mousse.

Elle est un peu amère.

Sa fine amertume est justement dosée.

Je lave la vaisselle avec de la paille de fer.

Je décapole la vaisselle avec un tamponge.

Il faudrait un produit de nettoyage contenant beaucoup d'eau de Javel.

Il faudrait un détersif bijavellisé.

On peut se passer de chaussures de cuir véritable.

La chaussure en matière synthétique poromère offre une réponse à tous nos problèmes.

Je vais mettre un chandail de même couleur que mon pantalon.

Je vais mettre mon team-up.

Mon chandail uni.

Mon tricot camaïeu.

Dupont a lancé ces lunettes, faites pour aller avec le chapeau.

Voici un panama de paille avec lunettes coordonnées dans la ligne Dupont.

J'ai reçu une carte d'échantillons.

J'ai reçu un nuancier-couleur.

Tu iras faire tes achats pendant que j'irai à l'autre rayon.

Nous nous séparerons dans la bi-boutique, le temps d'un shopping.

Les cheveux transplantés repoussent.

Les cheveux transplantés vivent à l'heure occipitale.

Voilà un cirage qui s'étale bien.

Voilà un cirage qui a un grand pouvoir couvrant.

Mes bas tiennent bien.

Mes bas ont un revers antiglisse.

Je distingue l'odeur de ce parfum.

Ce parfum me révèle sa note de cœur.

C'est un rouge vif.

C'est un rouge à lèvres dramatique.

Le savon est très parfumé.

Le savon est parfumé dans la masse.

Il nettoie bien et il est naturel.

Il déterge biologiquement.

Il est onctueux.

Il est lactigène.

Je voudrais m'enfermer un moment seule, au cabinet de toilette.

Je voudrais effectuer un raccord fraîcheur avec une lingette.

Je vais prendre un bain de mousse.

Je vais me détendre à la japonaise.

C'est une crème qui rajeunit.

C'est une crème qui efface le temps.

Ça pénètre et fortifie le cuir chevelu.

C'est un revitalisant hautement assimilable.

C'est bon pour la peau.

C'est une substance exclusive et brevetée qui renouvelle les cellules de la couche basale et reconstitue les protéines.

On fait du maquillage à base de mousse.

On a découvert dans la mousse la voie nouvelle du maquillage.

On a renouvelé la présentation.

Ça se présente dans une ligne originale.

C'est un nouveau genre de produit de beauté.

C'est une nouvelle ligne de produits de soin.

J'ai essayé les plus récents produits pour hommes.	J'ai expérimenté toute une ligne de produits masculins d'avant-garde.
Cette crème à raser est très douce.	Mon menton fait patte de velours.
C'est un parfum qui n'irrite pas la peau.	C'est un parfum sans constituants sensibilisants.
C'est une crème très grasse.	C'est une crème sur-grasse.
C'est une crème qui sert en toutes circonstances.	C'est une crème tous usages.
J'ai tout ce qu'il faut pour se maquiller sans abîmer la peau.	J'ai une gamme de maquillage soins.
C'est un désodorisant très efficace.	C'est un déodorant à éléments actifs sur-puissants.
Ce produit convient parfaitement aux peaux grasses.	Ce produit est un super-dégraissant sur-concentré.
Ma peau semble plus ferme.	Mon tissu cellulaire est régénéré en profondeur.
J'emploie une crème qui donne un teint mat et empêche la peau de briller.	J'ai un traitement à base de matifiant séborégulateur.

C'est un sel merveilleux.

C'est un sel allantoire polygalactéronic.

On endommage ses cheveux en les savonnant.

Savonner les cheveux avec un savon alcalin, les fragilise.

J'ai un bon shampooing.

J'ai un sérum tissulaire avec des biostimulines précises pour vitaliser l'épiderme.

Passe-moi mon sèche-cheveux.

Passe-moi mon sèche-cheveux tangentiel.

On se sent mieux après une bonne toilette.

Vivent les bienfaits-fraîcheur de la toilette matinale.

Ma crème est agréable à la peau.

Ma crème contient une vitamine gaie.

Je vais me démaquiller.

Je vais procéder à ma désincrustation biologique.

Le liquide qu'il y a dans mon vaporisateur contient peu d'alcool.

Mon atomiseur est minialcoolisé.

Ce vaporisateur est sans danger.

Ce propulseur se signale par son innocuité.

V

L'ÉCOLE ET L'UNIVERSITÉ

UN DES NOMBREUX OUVRAGES consacrés à la réforme de l'enseignement parus depuis le Mouvement de mai 1968, nous offre, parmi beaucoup de trésors, un remarquable exemple d'hexagonal.

Il s'agit de l'introduction à l'extrait du rapport de la « commission Méthode-Pédagogie en pharmacie ». Citons : « Il existe une distance réelle entre le savoir et le non-encore savoir. L'enseignement connaît le savoir, l'enseigné ne connaît pas encore, il est donc en état de non-encore savoir. Il existe donc une distance objective entre l'enseignement et l'enseigné. La pratique pédagogique suppose cette distance, elle devra la réduire, permettre aux enseignés d'acquérir le savoir des enseignants..., etc. »

Traduction : Les professeurs ont pour mission d'apprendre à des élèves ce qu'ils ne savent pas encore.

Nous trouvons là un très intéressant exemple de l'hexagonal comme langage de consonance savante au service d'une pensée prudhommes que : sans les familles Fenouillard, d'hier ou d'aujourd'hui, l'hexagonal ne serait pas ce qu'il est.

Voici un extrait de presse dont seul un hexagonalisant exercé est à même de percer le mystère. Nous nous contenterons de ce bref survol de l'inépuisable hexagonal des sigles qui pourrait faire l'objet d'un volume entier.

« Les U.E.R. n'ont pas toutes élu leur conseil. De plus, celui-ci n'est pas représentatif de tous les étudiants, puisque l'U.N.E.F. a boycotté les élections et que les élus de la F.N.E.F, du M.U.R. et du C.L.E.R.U. ont démissionné. »

Le domaine de l'enseignement est un lieu où nul ne saurait entrer s'il n'est géomètre. L'élève trouvera dans ce chapitre très sommaire, consacré à une matière si riche : L'École et l'Université, les rudiments d'hexagonal nécessaires à ceux qui s'aventurent dans le maquis du nouveau monde universitaire.

EN FRANÇAIS	EN HEXAGONAL
Mes petits-enfants sont à l'école maternelle.	Mes épigones sont dans un établissement du cycle préscolaire.
Ils reviennent de l'école.	Ils reviennent du groupe scolaire.
Ils vont au collège d'enseignement secondaire.	Ils vont au C.E.S.

Ils vont au collège d'enseignement général.	Ils vont au C.E.G.
Ils vont à l'université.	Ils fréquentent le campus.
Voici la bibliothèque.	Voici le centre de matériel pédagogique.
Il est en cinquième, mais il devrait plutôt être en sixième.	Il est au G.O.D [1].
Il redouble.	Il est dans une classe de rattrapage.
Il fait des fautes d'orthographe.	Il est dysorthographique.
Il sait lire, mais il ne sait pas écrire.	Il fait de la dyslexie.
Le maître leur laisse faire tout ce qu'ils veulent.	Le rapport enseignant-enseigné se normalise.
M'sieu, il fait que de mettre son coude sur mon pupitre!	M'sieu, il fait que s'incruster dans mon poste de travail!
Il a de bonnes notes.	Les critères d'évaluation lui sont favorables.

1. Groupe d'observation dispersée.

Nous avons commencé les compositions.

L'appareil sélectif est sur orbite.

Il supporte mal la discipline.

Il est allergique au système des conditions non nécessaires, donc contraignantes.

Il est d'une ignorance crasse.

Il est au degré zéro de l'état de non-encore savoir.

Il va passer son examen.

Il va subir son contrôle rétrospectif des connaissances.

Il passe des colles.

Il subit un contrôle continu des connaissances.

L'enseignement est à la fois classique et pratique.

On a adopté la culture intégrée.

Le système des réponses toutes faites empêche les élèves de manifester leur originalité.

La catéchèse ne fait pas ressortir l'unicité de l'enseigné.

Il a une bonne mémoire.

Il a un bon coefficient de mémoralisation.

Il perd ses mauvaises habitudes.

Il se déconditionne.

Tout ça, c'est du bachotage.

Tout ça, c'est de la pédagogie adaptative.

Le latin compte pour un gros coefficient.	Le latin est fortement coefficienté.
On développe la mémoire aux dépens de l'intelligence.	Le développement de la capacité mémorielle est dommageable à l'exercice de l'enseignement réflexif.
Il y a des collègues qui ne sont pas d'accord.	Il y a des déviants.
Il faut empêcher d'entrer ceux qui ne sont pas d'accord.	Il faut établir des piquets de dissuasion à l'encontre des déviants.
C'est un diplômé.	C'est un mandarin.
Il faut passer des examens pour parvenir au faîte de l'échelle sociale.	L'élitisme passe par le mandarinat.
Il songe à choisir un métier.	Son intérêt vocationnel s'éveille.
Le prof l'a à l'œil.	L'enseignant l'a dans le collimateur.
On ne devrait pas passer d'examens.	On devrait être l'objet de jugements non sanctionnels.
Il y a des affinités entre les élèves.	Il y a un facteur intrinsèque de cohésion du groupe, d'ordre socio-affectif.

Il a l'esprit créateur.

Il a des altitudes créatives.

Il a de l'imagination.

Il a un esprit adaptatif.

Je m'intéresse à l'histoire.

Je m'intéresse au devenir évolutif.

C'est un cours où on enseigne plusieurs matières.

C'est un séminaire à fonction théorique pluridisciplinaire.

Ce projet vise à favoriser le droit de regard des élèves sur le programme.

Cette proposition s'oppose au non-contrôle des enseignants par les enseignés.

Je souhaite que les cours soient ouverts à tous.

Je m'oppose au cloisonnement vertical et horizontal.

Il faut que les élèves s'entendent bien...

Il faut résoudre les tensions positives et négatives défavorables à la dynamique du groupe.

Les examens paralysent.

Le système des critères d'évaluation provoque une mutilation des capacités créatrices.

Je ne retiens pas les cours dictés.

Je ne mémorise pas le cours magistral.

C'est une école où on s'intéresse à chaque élève.

Le système d'éducation de ce groupe scolaire repose sur la reconnaissance de la spécificité de l'enseigné.

Cet élève fait part à son voisin des résultats de son travail.

Cet élève affirme sa disponibilité dans son dialogue avec l'autre.

Le professeur met ses élèves en garde contre l'office universitaire de recherche socialiste.

Le professeur met ses élèves en garde contre l'Ours.

Il a fait sa composition.

Il a été soumis à l'appareil sélectif.

Nous donnons un enseignement plus pratique que théorique.

La culture est opératoire plus que réflexive.

Le car a conduit les enfants à l'école.

Il a été procédé au ramassage scolaire.

On consomme moins de LSD dans les écoles.

L'acide est en perte de vitesse au plan des groupes scolaires.

Mes élèves ne se droguent pas.

Mes élèves ne font pas le voyage.

C'est un professeur de faculté qui habite à quelques centaines de kilomètres de son cours et qui prend régulièrement le train pour y aller.

C'est un pendulaire.

Au cours de la réunion, le conseiller a montré que certains élèves étaient affectés de ne pas avoir le prix d'excellence.

Au cours du conseil de classe, l'orientateur scolaire a mis l'accent sur la traumatisation des non-excellenciers.

Nous allons répartir l'enseignement en trois tranches définies.

Nous allons adopter le tiers temps.

Il est calé en histoire et en géographie.

Il est ouvert aux disciplines d'éveil.

Les décisions dépendent de lui.

Il fait partie de l'organe statutaire.

Prenez vos cahiers de brouillon.

Prenez vos cahiers d'essais.

Mon fils est dans la classe du certificat d'études.

Mon fils est en F.E.

Il est à la maternelle.

Il est en C.P.1

Il est à la maternelle.

Il est en C.P.2

Il est en dixième.
    en neuvième.
    en huitième.
    en septième.

Il est en C.E.1
    en C.E.2
    en C.M.1
    en C.M.2.

Voici mon exposé.

Voici mon unité de valeur.

C'est demain que je passe mon deuxième certificat.	Mon duel est pour demain.
As-tu payé tes inscriptions?	As-tu acquitté tes droits d'écolage?

VI

LA MAISON

L'HEXAGONAL de l'immobilier est d'une richesse éblouissante : témoin les trouvailles dont fourmillent les nombreux prospectus, dépliants et placards publicitaires consacrés à l'achat et à la vente des maisons.

Nous avons largement puisé dans ce florilège du béton précontraint, encore que ces textes, comme tous ceux des grands lyriques, présentent fréquemment des obscurités qui défient l'herméneutique [1].

C'est ainsi que nous autorisons toutes réserves sur l'interprétation que nous avons donnée de certains termes (par exemple, le « plan de travail post-formé »). Les spécialistes auxquels nous les avons soumis y ont eux-mêmes achoppé et nous avons donné la traduction qui nous semble le plus conforme à la vraisemblance. Nous avons sciemment laissé de côté la liste trop abondante et trop archaïque de ces matériaux modernes aux résonances parnas-

1. Interprétation des textes.

siennes, dont la simple énumération ouvre à
deux battants les portes d'un univers poétique
au pouvoir profondément évocateur qui fait
songer à Leconte de Lisle et à sa descendance :

« Maillechort, cèdre rouge et pierre marbrière,
  Polyglass, grès cérame ou acajou sipo... ».

EN FRANÇAIS	EN HEXAGONAL
Pourrais-je parler au constructeur?	Pourrais-je établir une concertation avec le promoteur?
C'est vous l'agent immobilier?	C'est vous l'ingénieur foncier?
C'est vous qui vendez des maisons?	C'est vous qui promotionnez des résidences?
Vous présentez sur un grand prospectus de belles maisons.	Vous proposez sur un écran géant des prestations remarquables.
Je voudrais acheter une maison.	Je voudrais faire un investissement pierre.
Je voudrais une maison de campagne.	Je voudrais faire un investissement loisirs.
Je voudrais une maison solide.	Je voudrais faire un investissement toute sécurité.
Je voudrais une vieille maison.	Je voudrais un immeuble vétuste.

Voulez-vous une maison dans le même style que ses voisines?

Voulez-vous vous intégrer dans un ensemble architectural cohérent?

On peut emménager tout de suite.

Le studio est livré en prêt à habiter.

Voici une maison agréable dans un paysage varié.

Voici un habitat souriant dans un paysage changeur...

Où est le patron du chantier?

Où est le maître d'ouvrage?

Est-ce une maison bien conçue?

Est-ce une maison intelligente?

Oh! oui, vous verrez, vous vous y habituerez très bien.

Oh! oui, c'est un mode de vie plutôt qu'un immeuble.

L'architecte a pu faire triompher ses vues personnelles.

Le concepteur a réalisé une architecture brillante qui concrétise son idée de base.

C'est un pâté de maisons.

C'est un plan d'habitation.

Je voudrais une maison traditionnelle.

Je voudrais une maison vraie avec des murs vrais.

Y a-t-il une salle de repos?

Y a-t-il une salle de relaxothérapie?

C'est un petit coin où il fait très bon.

C'est un micro-climat.

Vous aurez une vue sur la Méditerranée.	Vous connaîtrez une vie nouvelle en direct sur la Méditerranée.
Même si vous ne faites pas de ski, vous aurez beaucoup de distractions.	C'est également conçu pour la vie hors-ski.
Vous avez une jolie résidence de style arabe.	Vous avez un joli dar.
L'ensemble est imposant.	Il s'en dégage une ambiance de grandeur.
C'est une avenue où il y a de belles maisons.	C'est une avenue résidentielle.
Les couleurs sont unies.	L'ensemble est monochrome.
Quelles sont les maisons les plus agréables à habiter?	Quels sont les habitats les meilleurs à vivre?
Il y a un café où vont les habitants du pâté de maisons.	Il y a un club house.
Un tout petit café.	Un mini-club.
Une place centrale.	Un forum.
Ça a l'air confortable.	C'est une manière de vivre dans le bien-être.
Il y a des appartements sur deux étages.	Il y a des suites en duplex.

C'est une maison moderne.

C'est une maison évolutive.

Vous pouvez sous-louer à des prix avantageux.

C'est un placement d'avenir producteur de plus-value.

Nos appartements sont très bon marché.

Nous sommes en retard d'une hausse.

Que d'espace!

Que d'aire!

C'est un coin idéal pour construire.

C'est une aire de vocation résidentielle.

Vous pouvez vérifier l'exactitude de nos affirmations.

Vous pouvez inspecter notes en mains.

Il y a beaucoup de gazon.

C'est très engazonné.

Ces vieilles pierres font joli.

C'est une splendeur médiévale.

Aujourd'hui, c'est indispensable.

C'est une nécessité de l'époque.

Nous y avons beaucoup réfléchi.

Nous y avons investi une somme de pensée.

Il y a des poutres apparentes.

C'est néo-rustique.

Ces maisons sont pratiques et adaptées au paysage.

Ces résidences procèdent d'une architecture techniciste et mimétique.

C'est une maison de campagne où il y a tout ce qu'il faut.

Rustique dans sa conception, elle bénéficie d'une rationalité fonctionnelle.

Il faut qu'un architecte voie bien les éléments d'un ensemble.

Il faut qu'un concepteur ait une vision gestualiste.

Vous pouvez vous installer tout de suite.

La maison est livrée entièrement terminée.

Elle est au milieu de la campagne.

Elle s'incruste dans un ensemble paysagé.

Elle est pratique.

Elle est équipée tout confort.

Elle n'est pas éloignée du centre de la ville.

Elle est conçue dans la perspective d'un trajet-bureau minimum.

C'est un ensemble luxueux.

C'est un complexe résidentiel de haut standing.

Je suis un client difficile.

Je suis un investisseur sélectif dans son choix.

Peut-on acheter sans courtage?

Procédez-vous à une vente en direct?

Il y a un bazar où on trouve tout ce qu'il faut.

Il y a un fabuleux condensé du commerce le plus prestigieux.

C'est fait d'après les croquis d'un dessinateur.

C'est conçu par un designer contemporain.

Ça me plaît, je ne regrette pas la dépense.

Ce n'est pas une affaire d'argent, c'est une affaire de cœur.

Ces maisons sont très économiques.

Ces résidences sont envisagées dans une tradition presque anachronique de mécénat.

J'aime cette unité de style assez difficile à trouver.

J'aime cette inhabituelle cohérence.

Vous avez une belle vue.

Vous débouchez sur un ensemble panoramique.

C'est conçu à partir d'éléments disposés en lignes.

Ça procède d'une matrice.

Vous y trouverez un restaurant à deux étages avec de longues baies vitrées.

Vous y trouverez un restaurant à deux niveaux panoramiques.

Nous avons confié les travaux à un bon décorateur.

Nous avons confié les travaux à un organisme-pilote dans le domaine de l'environnement.

Bonjour, monsieur le décorateur!

Bonjour, monsieur le styliste!

Nous estimons qu'il faut des tableaux dans une maison.	Nous ne sous-estimons pas l'importance des techniques de l'image dans la sensibilisation de nos contemporains.
Nous dînons ici.	Voici le coin-repas.
C'est un motif voyant.	C'est un motif virulent.
C'est un sujet abstrait en plusieurs couleurs.	C'est une proposition polychrome.
Tout marche à l'électricité.	Vous bénéficiez du confort presse-bouton.
C'est un appartement pratique.	C'est une suite asservie à ses habitants.
Il est d'une grande commodité.	Elle procède d'une démarche fonctionnelle.
Les parois sont en contre-plaqué.	Les murs sont habillés de panneaux lambris, sol plafond.
On ne peut pas l'étendre : c'est aggloméré.	Le précontraint ne peut pas être expansé.
C'est économique.	C'est une solution confortable pour votre budget.
La cuisine présente toutes les commodités.	La cuisine offre une sélection rigoureuse des formes les plus fonctionnelles.

Tout est très confortable.

C'est un festival de confort.

C'est du synthétique très bien conçu.

C'est une matière cellulaire d'un confort stupéfiant.

Il y a des éléments que vous disposez à votre gré.

Il y a des structures modulaires.

C'est une petite cuisine.

C'est une cuisinette.

Où est le petit endroit?

Où sont les sanitaires?

C'est en forme de demi-cercle.

C'est un volume semi-circonférenciel.

La salle de bain est grande et on peut s'y habiller.

La salle de bain boudoir peut servir de dressing range-tout.

Il y a un petit village à côté.

Vous bénéficiez de la proximité d'une zone désurbanisée.

Vous avez un grand balcon avec une balustrade de verre.

Vous disposez d'une vaste loggia protégée par un garde-corps en superglass.

La fenêtre a des stores.

La mezzanine a des volets roulants.

Nous avons veillé à ce que vous ayez toutes les commodités.

Nous avons élaboré la solution parfaite pour votre intérieur.

Y a-t-il des étagères?	Y a-t-il des éléments de rangement?
Il est silencieux.	L'isolation phonique est impeccable.
C'est un radiateur à air chaud.	C'est un radiateur convecteur.
Le fauteuil peut se transformer en lit.	Vous disposez d'un siège convertible installé en ambiance.
C'est reposant.	Vous bénéficiez d'une distribution relax.
Ici vous êtes tranquille.	Voici un coin-repos.
Voici le lavabo.	Voici le plan de toilette.
— la salle de séjour.	— le vivoir.
— « «	— la pièce à vivre.
Il y a un grand salon.	Il y a un vaste family-room.
Il y a une grande penderie avec des tiroirs.	Il y a un dressing-room.
Les lampes sont en verre dépoli.	Les luminaires sont opalisés.
Voici la table, l'évier et l'emplacement pour la machine à laver.	Voici le plan de travail.
On peut dîner dans la cuisine.	Vous disposez d'une cuisine réception.

On n'entend pas un bruit.

Les cloisons sont feutrées par isolation phonique renforcée.

La cuisine s'adapte à vos besoins.

La cuisine présente un plan de travail post-formé.

L'ensemble est conçu avec astuce.

Le tout a de l'esprit.

Avec cette cuisinière, vous ne risquez aucun accident.

C'est une cuisinière toute sécurité.

On peut mettre beaucoup de choses dans le four.

C'est un four modèle grande fête.

Le compteur a un fort débit.

Le compteur transite de la puissance.

Bien qu'il soit d'une forme très nouvelle, ce fauteuil peut aller avec des meubles anciens.

Ce modèle résolument moderne s'intègre aux intérieurs les plus classiques.

Il en existe des modèles variés.

Il vous est proposé en plusieurs versions.

On y est très bien.

Son profil est conçu pour assurer la position anatomique optimum.

Vous trouverez dans cette cuisine tout ce qui vous est nécessaire.

Cette cuisine offre une gamme de 125 éléments de base.

C'est une cuisine où vous trouverez tout ce qui est indispensable à la maîtresse de maison.

C'est un centre de préparation cuisson-lavage, avec, organisé autour de lui, les volumes de rangement nécessaires.

La moquette est inusable.

La moquette présente le plus fort coefficient de résistance à l'abrasion.

Les pieds des meubles ne peuvent pas la détériorer.

Sa résistance au poinçonnement est exceptionnelle.

Elle ressemble à du velours.

Elle est en qualité tuftée.

Elle est rase.

Elle est aiguilletée.

Il y a des plans de ces appartements très bien faits.

Les appartements bénéficient d'un descriptif technique de grande qualité.

On peut faire beaucoup de choses avec ça.

C'est un matériau à vocations multiples.

Y a-t-il des maisons avec jardins personnels?

Y a-t-il des unités d'habitation avec jardins privatifs?

Vous déversez vos ordures dans un grand tuyau.	Vous bénéficiez d'un vide-ordures à voie sèche.
La charpente est en métal.	L'ossature est industrialisée.
J'ai l'intention de faire des agrandissements.	J'ai l'ambition de faire des extensions.
Je choisis mon radiateur.	Je situe mon problème chauffage.
Ça arrose dans toutes les directions.	C'est une pomme tous-azimuts.

VII

L'AUTOMOBILE

Publicité et technicité sont deux sources importantes du langage hexagonal. L'automobile, qui participe de l'une et de l'autre, alimente largement le langage nouveau. C'est la religion la plus répandue sur la planète; elle a sa liturgie, ses prophètes, son messianisme. Son vocabulaire s'en enrichit d'autant. Elle a également ses lyriques et ses hagiographes parmi lesquels il faut distinguer ceux qui créent les poncifs et les autres : les « suivistes ».

Créer un poncif, c'est ouvrir une brèche aux moutons de Panurge; l'hexagonal, la plupart du temps, prolifère dans la foulée des créateurs.

EN FRANÇAIS	EN HEXAGONAL
Faites carrosser votre voiture à votre convenance.	Optionalisez votre voiture.

Cette voiture a un bon équilibre.

Cette voiture a une bonne correction d'assiette.

J'utilise des pneus larges pour réduire les risques.

Je contribue à la construction d'un monde moins dangereux par les grands pieds.

On y est à l'aise.

Elle présente un maximum d'habitabilité.

On y est à l'étroit.

Sa caisse est conçue comme une cellule d'avion.

Venez à l'intérieur.

Pénétrez dans l'habitacle.

C'est une voiture exceptionnelle.

C'est une survoiture.

La carrosserie est solide.

Les tôles sont sans mièvrerie.

C'est une voiture familiale qui ne prétend pas battre des records.

C'est une voiture qui a du bon sens.

On peut se fier à ce moteur.

Ce moteur présente un haut degré de fiabilité.

Je roule beaucoup.

Je suis un centaure de la consommation.

Il y a beaucoup de place dans le coffre arrière.

Le coffre est vorace.

J'aime les petites voitures rapides.	J'aime les micro-bolides.
Vue de devant, elle donne une impression de puissance.	La calandre est agressive.
Elle consomme beaucoup.	Son moteur est gourmand.
Elle a une grande cylindrée.	Elle dispose d'une pléthore de chevaux.
Elle braque bien.	Elle est surbraqueuse.
Elle est confortable et elle a un beau tableau de bord.	C'est une voiture pour commandant de bord qui veut un fauteuil-club dans sa cabine de pilotage.
Y a-t-il une petite lumière sous le tableau de bord?	Y a-t-il un spot de lecture?
J'ai rallongé le dossier.	J'ai fixé un appuie-tête strato-confort.
Vous aimez la vitesse?	Vous conduisez pied au plancher?
Non, je roule à allure modérée.	Non, je conduis tout à la douce.
Il y a un petit miroir pour la passagère de droite.	Il y a un miroir de courtoisie.

L'autoroute présente beaucoup de sécurité.

Le béton est raisonnable.

Les routes s'améliorent.

Il y a un progrès infrastructurel.

Je vais tourner.

Je négocie la courbe.

Je tourne.

J'absorbe la courbe.

Je ne suis pas un fou de la vitesse.

Mes ambitions s'exercent en dessous du niveau Porsche.

C'est une voiture puissante.

C'est une voiture construite autour d'un moteur.

Sa ligne est sobre.

Elle est superbement abstraite.

Elle dérape facilement.

Elle a un tempérament survireur.

Elle a de bonnes reprises.

Elle a un tempérament rageur.

Elle est solide.

Elle offre une bonne synthèse poids, résistance, puissance.

Il est préférable de pratiquer le double débrayage.

Il est préférable de double-débrayer.

J'ai pris un chemin qui demande beaucoup de prudence.

J'ai effectué un parcours de concentration.

Les banlieusards aiment les conduites intérieures de tout repos.	Les suburbains affectionnent les berlines émollientes.
Elle n'a pas été construite par des bricoleurs.	Son intelligence est plus que de l'ingéniosité.
Elle est rapide et douce.	Sa vitesse pure est feutrée et logique.
Je fonce.	Je vois vivre devant mes yeux quarante chevaux réels.
J'aime le bruit du moteur.	J'aime la mélodie agressive de la montée du régime.
C'est un veau.	Elle démarre petit.
Elle a de bonnes reprises.	Elle a des déchaînements éclair.
J'y ai ajouté de nombreux accessoires.	Je l'ai débanalisée.
Elle est souple.	Elle a une direction floue.
C'est un modèle de rapidité.	C'est un parangon de férocité sportive.
Elle a une bonne tenue de route.	Elle a un bon comportement routier.
Le conducteur de Ferrari roule beaucoup.	Le ferrariste écume les circuits.
Je conduis pour mon plaisir.	Je suis un hédoniste routier.

Les manœuvres sont très faciles.

La manœuvrabilité est exceptionnelle.

Je voudrais un couvre-volant avec des petits trous pour la transpiration.

Je voudrais un couvre-volant aéré.

C'est un conducteur téméraire.

C'est un homme au regard à iode insoutenable.

Je débraie en freinant.

J'ai le pied virtuose du talon-pointe.

Il existe un modèle plus nerveux.

Il existe une version plus méchante.

Je conduis lentement.

Je suis un baladeur tout à la douce.

On a entendu un dernier coup d'accélérateur.

On a entendu un ultime feulement.

La souplesse du volant enlève du mordant à la voiture.

La fluidité de direction dévirilise la voiture.

C'est une belle réussite technique.

C'est une aventure mécanique sans précédent.

Je pousse le moteur à fond.

Je fais parvenir ma voiture à l'extase de ses 175 chevaux.

Elle a des fauteuils avec accoudoirs.

Elle ne se départ pas de son style.

Elle a une bonne accélération.

Elle a des réactions arrogantes.

Pourriez-vous fixer l'essieu?

Pourriez-vous positionner l'essieu?

Ma voiture a une carrosserie renforcée.

Ma voiture est dotée d'un habitacle de sécurité avec arceau de toit laissant les parties avant et arrière absorber toute l'énergie cinétique.

A-t-elle de bons freins avant?

Dispose-t-elle d'un système à deux circuits de freinage indépendants en double L avec limiteur de pression sur les roues arrière donnant prédominance au freinage avant?

On est très à l'aise dans ces sièges.

Ces sièges sont anatomiquement parfaits.

Peut-on modifier la position du dossier?

L'appui lombaire est-il ajustable?

Il y a même des appuie-tête à hauteur réglable.

Des appuie-tête télescopiques y sont même incorporés.

Le volant présente une certaine flexibilité.

La colonne de direction est collapsible.

La ceinture de sécurité s'attache en trois endroits.

La ceinture de sécurité est à trois points d'ancrage.

Avec ma voiture, on se faufile facilement.

J'ai une voiture débrouillarde.

Elle a un démarrage rapide.

Elle est vive au feu vert.

C'est une voiture qui se différencie des modèles de la même marque.

C'est une voiture à part entière.

Nous adaptons notre voiture aux besoins du public.

Nous suivons une politique de réalisme socio-mécanique.

Je deviens plus difficile dans mon choix.

J'atteins la majorité automobile.

Cette voiture se prête à de nombreux usages.

Cette voiture est un géant tous-azimuts.

Ce modèle va être lancé.

Cette version va être injectée dans la consommation.

Parmi les nombreuses causes d'accidents, la méconnaissance de leurs obligations chez les automobilistes.

Parmi la multicausalité des accidents, l'absence d'une déontologie de la conduite.

La puissance réelle de cette voiture est de soixante chevaux.

Voici soixante méchants chevaux qui déménagent sérieux.

Les débris d'automobiles passées à la casse se vendent à prix d'or.

Les compressions accèdent au statut d'œuvre d'art.

VIII

LA POLITIQUE

L A POLITIQUE fait une consommation effré-
née d'hexagonal. Plus encore qu'en tout
autre domaine, on y a perdu l'habitude
d'appeler un chat, un chat.

Pour plusieurs raisons.

D'abord, nécessité de faire sérieux.

Cette nécessité n'est pas nouvelle. Adrien
Hébrard, directeur du journal *Le Temps*, avait
coutume de passer dans la salle de rédaction
et ne manquait jamais de rappeler à ses colla-
borateurs le commandement nº 1 de la maison :
« Messieurs, faites « emm... ».

Car il savait qu'*emm...* et *sérieux*, en France,
sont synonymes, et le prestige de son journal
reposait sur cette vertu nationale.

A voir l'ennui qui se dégage d'un débat
parlementaire actuel, on mesure combien, sous
l'égide de l'hexagonal robinet d'ennui, les vues
d'Hébrard étaient prophétiques et justes.

Les parlementaires d'aujourd'hui sont d'autant plus astreints à ce sérieux que, par l'in-
termédiaire de la Télévision, la France a les

yeux fixés sur eux. Car c'est l'électeur qui paie : il faut qu'il en ait pour son argent. Malheur au représentant du peuple qui serait surpris en flagrant délit de légèreté. Heureusement l'hexagonal est là.

Autre raison, la fonction euphémisante de l'hexagonal. Plus que n'importe qui, la politique a des couleuvres à faire avaler et des pilules à dorer. Or, on l'a vu, l'hexagonal, langage de la périphrase édulcorante, y excelle.

Le ton même de la polémique s'en ressent. L'hexagonal a le pouvoir de dépassionner les débats et de désamorcer les mots. Le style de la controverse en porte aussi la marque. Elle est devenue « courtoise ». Au temps de la polémique a succédé celui de la morne « honnêteté intellectuelle ». Où le français met les pieds dans le plat, l'hexagonal tourne autour du pot. Les pamphlétaires d'autrefois fignolaient les formules venimeuses, bourraient leurs mots d'une charge explosive fracassante. A « communiste », ils préféraient, par exemple, « bolchevik », plus « couteau entre les dents », plus sauvage de consonance, plus destructeur. Ceux d'aujourd'hui sont portés de préférence vers des formules telles que « matérialisme dialectique », plus édulcoré, plus conforme à cet esprit de « controverse courtoise » qui nous vaut tant de débats sirupeux et vains.

Ainsi, une condamnation à mort devient une « liquidation », une dévaluation une « modification de parité », une déportation une « assignation à résidence » et l'anéantissement d'une ville de 600 000 habitants, sa « vitrification ».

Dans un ouvrage spécialisé, nous avons glané cette définition de la révolution, que vous trouverez dans le manuel de conversation de ce chapitre : « Une constellation politique dont les données propres modifient profondément les structures précédant son apparition ».

Ô Molière...

Ô La Palice...

A noter enfin l'emprise grandissante de la bureaucratie sur notre vie publique. Dans les assemblées parlementaires, on voit les avocats céder le terrain aux professeurs et aux représentants de la fonction publique.

Or l'enseignement et l'administration sont deux des mamelles de l'hexagonal.

Nous n'avons fait dans ce chapitre que survoler l'hexagonal politique, afin d'en tirer quelques exemples pris dans les meilleurs auteurs.

Ici encore, nous faisons toutes les réserves de rigueur sur l'exactitude de quelques-unes de ces traductions : en présence de certains textes nous avons risqué l'interprétation qui nous semblait la plus plausible ; l'hexagonalologie, science récente, ne saurait offrir le caractère d'infaillibilité qu'on est en droit d'exiger d'une discipline solidement implantée : le seul titre auquel nous prétendons dans cet ouvrage est celui de Champollion du volapük hexagonal; c'est en tant que tel que nous marchons à la découverte de la langue nouvelle.

EN FRANÇAIS	EN HEXAGONAL
Donnez-moi un double des décisions gouvernementales.	Délivrez-moi une ampliation des arrêtés gubernatoriaux.
Dans un pays, il faut de la discipline.	L'État repose sur un présupposé du commandement et de l'obéissance.
Les petits groupes commencent à se manifester.	Les groupuscules sont sortis de leur groupuscularité.
Nous allons opérer une dévaluation de 12 %.	Nous allons procéder à une modification de parité.
Nous ne ferons pas une dévaluation de 18 %.	Nous ferons obstacle à la dévaluation sauvage.
Nous vous donnerons le plus de renseignements possible.	Nous favoriserons l'accroissement exponentiel des informations disponibles.
Je propose que le montant des attributions tienne compte de la dévaluation.	Je préconise l'indexation de l'enveloppe des ressources affectatives sur les processus de modification de parité.
Il n'y a pas que les gens du parti qui fassent des combines.	La non-allégeance n'exclut pas les prédations.

Il a été chargé de faire le total des chômeurs.

Il a été missionné pour procéder à la sommation des demandeurs d'emploi.

Il faut leur trouver du travail.

Il est urgent de procéder à leur réinsertion sociale.

Il est inquiétant de voir les vieux manquer de travail.

Le dégagement des personnes âgées est préoccupant.

Il faut diminuer le nombre des chômeurs.

Il faut réduire le volant de chômage.

Les ouvriers ne sont pas une catégorie de citoyens à part.

Le concept de classe sociale n'est adéquat à aucune réalité visible.

C'est une décision destinée à l'industrie.

C'est une décision prise dans le cadre des mesures de restructuration de l'industrie.

On obligera les organismes les plus importants à assurer certains services.

L'accent est mis sur les secteurs de base par la fixation à leur activité d'objectifs impératifs[1].

Nous prenons des mesures autoritaires.

Nous prenons des mesures drastiques.

1. Authentique. Cité par René Georgin dans *Le Langage de l'Administration et des Affaires* (ESF).

Faisons des économies.	Échenillons les crédits.
Revisons nos méthodes de travail.	Assouplissons les normes.
L'esprit conservateur de la majorité s'oppose au progrès.	Le fixisme de la représentativité moyenne entraîne une désescalade des novations.
Le plan est imposé par les réalités mathématiques.	La planification est actuarielle.
La révolution à tout prix est une politique risquée.	Le révolutionnisme débouche sur l'aventurisme.
Il a formulé ses idées par chapitres successifs.	Ses idées sont doctrinées en volets.
Pouvez-vous me prêter un peu d'argent?	Pouvez-vous me faire une ouverture de crédit?
Les affaires vont mal.	Nous assistons à une désinflation de la croissance.
La France et l'Allemagne se disputent le rôle prépondérant dans le monde européen.	Le leader ship européen engendre un contentieux franco-allemand.

Laisse tomber !...

Laisse geler le problème !...

L'administration prétend agir sur le prix de la vie.

La directivité bureaucratique englobe la modulation des prix dans sa sphère d'influence.

Ils n'arrivent pas à se mettre d'accord.

Ils sont irréductibles à l'éloquence de l'unité.

C'est par la démocratie que le pays sera sauvé.

Il faut s'institutionnaliser démocratiquement pour résoudre la problématique nationale.

L'extrême gauche a perdu des voix.

On constate un certain tassement dans les partis néo-marxistes.

Les ministres sont bons à tout.

Les dirigeants sont permutables.

Les partis empêchent le peuple de s'unir en vue du progrès.

Les strates s'opposent au renforcement de l'unité de la base pour une convergence vers un axe dynamique de progression.

Le progrès fait évoluer la société.

L'évolution est dynamisée par les mutations du progrès.

Le communisme veut changer l'ordre établi.	Les normes du schéma marxiste tendent à briser la structure archaïque des sociétés fermes.
Il est évident qu'il faudra opérer des changements.	L'inévitabilité des novations est patente.
A bas les proprios!...	Créons une société exclusive de toute propriété.
La république est fondée sur la loi.	La république repose sur une superstructure juridique.
Vive la révolution!	Supprimons les irrationalités subsistantes.
Mes sous-ordre vivent en citoyens.	Mes commettants ressentent la politique comme une dramatisation de l'existence.
Je suis contre les gouvernements autoritaires.	Je suis contre la séquelle du mythe du père.
Un député doit pouvoir être ministre.	Il est urgent de modifier les modalités de l'exercice de l'incompatibilité entre mandat parlementaire et fonction ministérielle.

Le lampiste a droit à la parole.

Il faut établir un dialogue avec les catégories défavorisées.

Les gens acceptent d'être influencés par la propagande.

L'individu other-directed assume son aliénation.

L'État se transforme en directeur d'usines.

L'État procède à la mise en place d'infrastructures adaptées à la restructuration des branches de l'industrie.

Nous devrions signer un contrat avec eux.

Il importe de contractualiser nos rapports.

Les petits tendent à s'organiser.

Les ensembles microsociaux sécrètent une dynamique de groupe.

Le gouvernement se préoccupe de la paix sociale.

Les responsables de notre vie civique cherchent à établir la synthèse des contradictions de classe.

Essayons de réfléchir sur ce qui divise les gens.

Pesons les tensions.

Avec le progrès, se développe le prolétariat, et c'est bien ennuyeux.

La massification des sociétés industrielles s'inscrit dans les normes de l'évolution préoccupante.

Les oppositions au sein du groupe traduisent un désaccord profond.	Les activités fractionnelles sont le paramètre d'une distorsion fondamentale.
J'ai le pouvoir de faire promulguer des lois.	Je suis investi d'une capacité juridictionnelle.
Ça va mal.	Nous traversons un gouffre historique.
Ils sont tous d'accord contre.	Ils établissent des solidarités conspiratives.
Le gouvernement est partisan des réformes avant toute chose.	La prévalence des novations est au premier plan des préoccupations gouvernementales.
Le spécialiste de la politique sait comment mettre fin à l'injustice.	Le politologue théorise la normalisation des irrationalités.
J'ai été chargé de renforcer l'autorité.	J'ai été missionné pour une solution musclée.
Il faut que les pouvoirs publics s'en occupent.	La situation postule une intervention médiatisante de l'État.
Si on pouvait faire payer un peu plus d'impôts aux salariés qui touchent des allocations, ça nous permettrait de dépenser plus.	Fiscaliser les masses salariales des allocataires excédenterait nos imputabilités.

Il faut des idées claires pour prévoir les conséquences.

Ceux qui ne sont pas d'accord seront passés par les armes.

C'est en divisant le travail que nous résoudrons les problèmes financiers.

Une majorité s'appuyant sur la gauche non communiste pourrait porter la jeunesse au pouvoir.

C'est une émeute?

Non, sire, c'est une révolution !

Les technocrates transforment les gens en robots à force de brimades.

Il se croit fort.

La précision rationnelle est la clef de voûte du conjecturisme.

Le gouvernement envisage la liquidation des déviationnistes.

La sectoralisation entraînera une adéquation des implications.

L'éphébocratie repose sur une hypothèse gauchiste.

C'est une manif...?

Non, sire, c'est une constellation politique dont les données propres modifient profondément les structures précédant son apparition.

Les technocrates réifient les gens en les surréprimant.

Ses moyens sont à hauteur de crédibilité.

Le syndicat déplore que ses inscrits fassent de la politique.	Le syndicat dénonce la politisation de ses mandants.
La vie n'est pas toujours gouvernée par la raison.	La raison n'est pas toujours la norme effective de l'existence.
Un marché dominé par un grand trust conduit à une augmentation des prix.	Un marché monopolistique est un vecteur de réajustement tarifaire.
Le communisme est un mélange de foi aveugle et de vues sur les réalités historiques.	Le matérialisme dialectique est un mixte de dogmatisme ontologique et de pragmatisme historien.
Il faut qu'Israël se place au-dessus des problèmes religieux qui risquent d'accentuer son isolement.	Il faut qu'Israël transcende sa judéité, facteur de cloisonnement.
Les peuplades sauvages sont sans intérêt pour les historiens.	La primitivité de ces États est considérée comme inessentielle.
Les sauvages ne sont pas comme les autres.	La primitivité est une altérité.
Le peuple est en progrès.	Cette société s'inscrit dans un contexte évolutif.

Il se crée de nouveaux États un peu partout.

L'espace mondial est en voie d'élargissement.

C'est une solution issue du progrès et des idées qui en découlent.

C'est une solution qu'interfèrent les progrès technologiques et l'idéologie concomitante.

Ce n'était pas la peine de changer de gouvernement.

Il était inopportun de promouvoir une situation institutionnelle.

Avec le temps, les révolutions s'adoucissent.

La temporalité radicalise la notion de révolution.

L'occupation d'un État voisin a pour objet de le libérer des classes dominantes.

La néo-satellisation est une contre-aliénation équilibrante.

La Pologne lutte contre l'emprise étrangère en exaltant ses caractères nationaux.

La satellisation de la Pologne renforce sa spécificité au détriment des faux stimulants imposés.

Le développement des armes atomiques est une étape dans la vie des peuples.

La multipolarisation de la dissuasion est un moment significatif du devenir.

Il possède depuis peu des engins nucléaires.

Il passe de la condition de dissuadé virtuel à celle de codissuadant potentiel.

Les neutres se moquent de la guerre froide.

Les non-alignés échappent à la dialectique dissuadant-dissuadé.

En cas de guerre, le moins armé des deux n'hésiterait pas à faire sauter la terre entière.

La belligérance affirme le parti du faible d'user irrationnellement de l'irrationnel.

Des coalitions sont en train de se créer.

La belligérance s'inscrit dans un cadre multilatéral.

Neutralité ne veut pas dire manque de virilité.

La non-allégeance doit se dépouiller de sa connotation physio-pathologique.

L'insuffisance des moyens de transport ralentit la déroute.

Le repli est échelonné.

La bombe atomique a brûlé la terre.

L'engin nucléaire a vitrifié le sol.

Le clergé veut mettre en pratique ses vues nouvelles.

Les prêtres officiants veulent actuer la contestation ecclésiale.

Voilà une nouveauté.

Voilà un critère suprême.

C'est riche de conséquences.

C'est un fait porteur d'avenir.

Je suis un Français comme les autres.

Je suis un Français à part entière.

Proposez-nous un em- | Soumissionnez-nous
blème. | un logotype.

Il est facile d'aller voir dans les provinces comment les choses se passent.

L'enquête participation est régionalisable.

Je crois avoir mis en évidence les incompatibilités principales.

Je crois avoir concrétisé les différences axiologiques.

Ce n'est pas à coups de consécrations officielles que s'établit la supériorité intellectuelle d'un pays.

Les cérémonies élitaires sont préjudicielles à la notion de noosphère.

Il s'imagine que les choses s'améliorent d'elles-mêmes avec le temps.

En lui, subsiste la notion de progrès comme devenir cumulatif.

Où est le monsieur qui s'occupe de l'administration?

Où est le vacataire des services administratifs?

Je demande la parole.

Je demande à assurer cet exposé par l'oralité.

Redonner une vie aux régions avant toute autre chose, c'est rendre aux habitants la confiance en eux.

La décentralisation régionale prioritaire se traduit par une réactivation des systèmes de conditionnement intimes.

Nous vivons une époque de spécialistes.

Le travail tend à se parcellariser.

L'adversaire est prêt à se montrer conciliant.

L'opposant installe les dispositifs de son opération sourire.

Il faut examiner cette demande à part.

Il faut disjoindre cette demande.

Nous ne pouvons plus retarder le calcul du budget.

Nous ne pouvons plus surseoir à nos imputations.

L'augmentation des salaires sera suivie de rappels.

L'abondement des traitements va rétroagir sur l'éventail des indices de rémunération.

Approuvez-vous le texte de ce double?

Homologuez-vous le libellé de cette ampliation?

Dois-je donner l'ordre de payer les vieillards qui bénéficient d'une assistance obligatoire?

Dois-je ordonnancer les vieillards assistés obligatoires?

Pas avant d'avoir fait le décompte des gens de la profession.

Pas avant d'avoir procédé au comptage des ressortissants.

C'est un ordre!

C'est une prescription!

On a réduit le nombre des bénéficiaires d'allocations à cause de la baisse des affaires.

La réduction du volant des allocataires est une incidence du tassement.

Il faut que les indus-
triels filent doux.

L'État veille à la mise
en condition des entre-
prises.

Il fait partie de la com-
mission de développe-
ment économique ré-
gional.

Il a un siège au
C.O.D.E.R.

Faudrait embaucher
trois types.

Il faut prospecter l'in-
sertion potentielle
dans les structures, de
techniciens spécifiques.

Comment couper la
parole à l'adversaire?

Quel est le contenu de
la notion d'ordre?

Il faut donner davan-
tage aux pauvres.

Il faut moduler les
aides sociales.

Il faut augmenter les
prix.

Il faut réajuster les
structures tarifaires.

Il faut baisser les prix.

Il faut réajuster les
structures tarifaires.

Il ne faut ni baisser ni
augmenter les prix.

Il faut opérer un blo-
cage.

J'ai une doctrine.

J'ai un corps de doc-
trine.

S'ils sont plusieurs à
ne pas être d'accord,
cela finira par une rup-
ture.

Deux déviationnistes
deviennent des frac-
tionnistes.

Les agents provocateurs sont chargés de répandre de fausses nouvelles.

L'agit-prop est responsable de l'intox.

Les agitateurs sont secondés par des hommes de main.

Les groupes mobiles sont assistés par des groupes d'intervention.

Ils agissent en commun, mais conservent leur autonomie.

Ce sont des groupes autonomes fédérés.

Il faut les placer aux bons endroits.

Il faut procéder à leur quadrillage.

L'intellectuel révolutionnaire se mêle aux émeutiers pour hâter la subversion.

Le sociologue d'action pratique la dynamique des groupes en vue de la révolution sauvage.

Il gagne tout juste de quoi ne pas crever de faim.

Il bénéficie du salaire minimum de croissance.

Ceux qui étudient l'influence du milieu, la considèrent comme déterminante.

Les écologistes sont environnementalistes.

Nous avons là trois sujets d'étude.

Nous avons de quoi répartir les tâches sur trois pistes de travail.

Vos propositions ne sont pas réalisables.

Vos revendications sont idéelles.

L'émeute se propage.	Le psychodrame révolutionnaire est en marche.
Le parti pris de pureté conduit à des actions destructrices.	Le potlatch se pense comme une catharsis.
On ne peut pas comparer la situation belge à celle de la France.	On ne peut pas juger la situation belge à l'étiage français.
L'autonomisme est une survivance du royaume de Bretagne.	Les attitudes de contre-acculturation sont une résurgence de l'armoricité.
Les curés de paroisse vont perdre leur autorité.	Nous allons vers l'institutionnalisation de la coresponsabilité.
Le clergé veut reconquérir des fidèles.	Le travail de l'assemblée évêques-prêtres s'inscrit dans la continuité des efforts d'avancée missionnaire.
Vive la République!	Vive le présidentialisme!
Vive la République!	A bas le présidentialisme!
Ils deviennent individualistes.	Leur détribalisation est en voie d'accomplissement.

Les ouvriers deviennent actionnaires.

Les ouvriers accèdent à l'actionnariat.

Les renseignements du technocrate reposent sur des faits.

Les informations de l'apparatchik sont factuelles.

On ne pourra restaurer la charpente de cette église qu'en faisant appel à des travailleurs volontaires.

Le bénévolat est un impératif de la restructuration de l'ossature de cette entité paroissiale.

IX

LES AFFAIRES

QUE L'ÉTUDIANT en hexagonal ne prenne pas au pied de la lettre les titres de ce chapitre et du précédent. Dans notre monde où le politique se fonctionnarise, où la fonction se politise, où les affaires se politisent et se fonctionnarisent et où la fonction s'industrialise, les frontières entre la politique, l'administration et les affaires sont assez mal définies. Nous avons adopté ces divisions de façon arbitraire et dans un dessein de classification et de simplification. Les mots et les formules voyagent sans répit d'une de ces activités essentielles à l'autre; les mass-média, presse, radio, télévision se chargent du reste.

EN FRANÇAIS	EN HEXAGONAL
Hey, boss!	Bonjour, manager!
Où sont les directeurs?	Où sont les cadres supérieurs?

Ils sont en congrès.	Ils tiennent un symposium.
Le congrès étudie la marche à suivre dans l'avenir.	Le symposium est consacré à la gestion prévisionnelle.
D'après vous, qu'est-ce qui va se passer?	Faites-moi donc un rapport conjectural!
Nous sommes très en retard dans le domaine des ordinateurs.	Nous avons un gap informatique considérable.
Les produits sont tellement encombrants qu'il va falloir renouveler les transports.	La pondérosité des produits entraîne une mutation de la maintenance.
Où sont les ingénieurs?	Où sont les cadres moyens?
Ils discutent avec le petit personnel sur la façon d'obtenir le meilleur rendement.	Ils ont des confabulations avec les unités à propos de l'optimisation des processus.
Ils sont en réunion avec des collègues.	Ils tiennent un séminaire.
On y discute sur la façon de mettre les produits en valeur.	Le séminaire donne lieu à des colloques promotionnels.
On y parle des loisirs.	On y aborde le problème de l'entertainement.

Faites-moi un compte rendu.

Préparez-moi une synthèse.

Un compte rendu pour exposer la situation.

Une synthèse pour dégager un diagramme.

Faisons les comptes.

Montrez-moi votre profil.

La section des ordinateurs recherche un spécialiste.

Le département informatique recherche un analyste concepteur.

Si l'on veut trouver autre chose, il faudra consulter l'ordinateur.

Les solutions de rechange sont tributaires des terminaux vidéo-alphanumériques.

Les contremaîtres veulent être payés au mois.

Les agents de maîtrise revendiquent la mensualisation.

Je vais consulter mon emploi du temps.

Je vais consulter mon planning.

Le dessinateur a fait un achat.

Le designer a effectué une transaction.

Tâchez de savoir ce qu'il faut faire pour que ça aille mieux.

Effectuez une recherche opérationnelle.

Nous absorbons les petites industries.

La concentration de l'entreprise s'opère vers l'aval.

Nous absorbons les grandes industries.

La concentration de l'entreprise s'opère vers l'amont.

Le groupement s'attaque au secteur du marché négligé par ses concurrents.

L'oligopole s'attaque au créneau.

C'est une maison qui a des filiales un peu partout.

C'est un oligopole multinational.

Il faut recourir aux moyens d'information.

Il faut recourir aux mass-média.

Le développement de l'industrie favorise les groupements de sociétés.

L'ère technologique sécrète les conglomérats.

Je m'occupe des études de marché.

Je m'occupe du merchandising.

Je ne connais rien à la partie mécanique.

Je ne connais rien à l'ingenering.

Les directeurs exposent leurs idées sur l'amélioration du rendement général.

Les cadres supérieurs proposent leur schéma de stimulation de gestion.

Les publicistes qui n'ont pas d'idées perdent leurs affaires.

Les créatifs exsangues sont en chute libre.

Voilà qui demande réflexion.

Voilà qui postule une démarche réflexive.

Le directeur a oublié sa serviette.

Le P.G.D. a oublié son porte-documents.

Il faut les remettre dans le circuit.

Il faut les redisponibiliser.

C'est le plus grand industriel anglais.

C'est l'homme fort de l'industrie britannique.

C'est un personnage très important.

C'est un V.I.P.

C'est le roi du réfrigérateur.

Il contrôle le marché des produits blancs.

Vous êtes le fournisseur le plus favorisé.

Vous êtes un sous-traitant privilégié.

Le trust se réorganise après avoir absorbé ses concurrents.

Le trust entre dans sa phase de digestion avant de penser son coefficient de progressivité.

L'affaire va bientôt rapporter de l'argent.

L'entreprise touche au point de rentabilité.

Quand les investissements ne sont pas inclus dans le budget, le libéralisme gagne du terrain.

La débudgétisation est un pas vers le non-directivisme [1].

Nous négligeons trop la représentation commerciale.

La démarche élémentaire d'information des canaux est sous-traitée.

1. Ne pas confondre le non-directivisme avec la non-directivité. Cf. chapitre sur l'érotisme.

Les affaires sont calmes.	Le marché est figé.
Il y a un mouvement en bourse.	Les valeurs réactionnent [1].
Je voudrais voir vos échantillons.	Je voudrais voir votre vitrine d'information.
Vous y avez mis beaucoup de choses.	C'est plutôt une vitrine de masse.
Quelle forme de publicité avez-vous choisie?	Quel sera l'adjuvant de l'annonce.
Nous allons essayer de fabriquer ce que nous pouvons vendre.	Nous amorçons la résolution de la tension prévisionniste.
J'ai besoin d'un pantalon au moins.	Mon pantalon est un quantum.
C'est le minimum de ce qu'on doit faire.	C'est un des quanta d'action.
Il est important de choisir entre ces deux aspects du problème.	Il est crucial d'opter entre ces deux paramètres.
Il a plusieurs cordes à son arc.	Il est généraliste.
Nous avons réalisé une grosse vente.	Nous avons eu une grosse dépression dans le flux de produits.
J'achète d'abord, je paie après.	Je pratique le leasing.

1. Cité par René Georgin *(op. cit.)*.

Nous ne faisons pas de bénéfices sur cet article.

Cet article est un article de bataille.

Recevez le monsieur qui délivre les coupons.

Réceptionnez le couponnier.

Je vais acheter une machine qui me servira pendant des années.

Je vais entreprendre une action non répétitive.

Les affaires sont trop aléatoires pour qu'on puisse espérer vendre.

Nos exigibilités auront à tenir compte de la flexibilité de l'offre.

Il n'y a qu'à gonfler le chiffre d'affaires.

Il n'y a qu'à procéder à des manœuvres de moussage.

Chaque service subit les contrecoups de ce qui se passe dans les autres.

Il y a interaction entre les services.

Excusez ce retard.

Excusez ce sous-produit de la discontinuité dans l'action.

Nous pouvons envisager un chiffre de 1 500 clients.

Le marché potentiel est de 1 500 clients.

Profitons des faiblesses de nos concurrents.

Profitons des failles concurrentielles.

L'entreprise a un grand rayonnement.

L'entreprise bénéficie d'un espace économique exponentiel.

Il faut toujours avoir présent à l'esprit les problèmes financiers.

L'argent est l'unité dans laquelle se pense l'entreprise.

Accordez vos violons.

Homogénéisez vos actions.

Aujourd'hui, les facilités de communication suppriment les distances.

Nous vivons une ère tribale nouvelle d'immédiatéité globale.

On ne peut faire de prévisions correctes qu'en tenant compte des délais.

Les choses ne sont quantifiables qu'à la faveur d'une dimension temporelle.

Nous n'avons plus assez d'argent pour en débourser encore.

Nos liquidités n'autorisent pas une nouvelle strate de dépense.

Il faut arrêter les dépenses.

Il faut juguler l'hémorragie.

Il faut stimuler le marché pour pouvoir accroître la production.

Procéder à des quasiactions motrices est un élément générateur de productivité.

Limitons la production pour remédier à la disproportion entre les prix.

Opérons des restrictions malthusionnées pour résoudre la distorsion des prix.

Est-il exact qu'on se prépare à retirer les billets de la circulation?

Est-il vrai qu'on se prépare à éponger les billets?

Je lui ai prêté sur parole.

Je suis un créancier chirographaire.

L'activité de l'entreprise permet de répartir les bénéfices.

Les normes de production autorisent l'étalement des plus-values.

Annulez les écritures où il y a des erreurs.

Procédez à la contre-passation des écritures.

Il y a beaucoup d'acheteurs pour ce produit.

Le marketing est compétitif.

Nous essayons d'étendre la clientèle de Renault.

Nous appelons les couches improspectées de Renauïstes.

Cet article correspond à un besoin.

Cet article est un pivot.

Cet article n'a pas sa raison d'être.

Cet article est une verrue commerciale.

Allô, c'est de la part de qui?

Allô, c'est de quelle part?

Il est là.

Je vais voir s'il est là.

Il ne veut pas vous répondre.

Il est en conférence.

X

LE CID
COMME EXERCICE DE RÉCAPITULATION

L'ÉLÈVE doit être à même, après ces quelques leçons, de tenir une conversation suivie en hexagonal.

Afin d'établir que l'hexagonal est bien un véritable idiome avec son vocabulaire, sa syntaxe propre, ses prolongements poétiques, et non un dialecte hasardeux greffé sur le langage courant, nous avons traduit une scène complète et un fragment de scène d'un des plus prestigieux ouvrages de la littérature française, la scène IV et une partie de la scène V de l'acte I du *Cid*.

Nous espérons que l'étudiant en hexagonal sera aussi sensible que nous l'avons été nous-même aux singulières beautés de cette langue fascinante qui naît chaque jour sous nos yeux et qu'il sera conscient des perspectives nouvelles qu'elle propose aux esprits curieux.

Acte I, scène IV

LE COMTE

Enfin, vous accédez à un statut préférentiel. Et ce régime privilégié, cautionné par la plus haute instance de notre univers socioculturel, vous fait bénéficier d'une promotion qui m'était légalement impartie : l'archétype du père vous missionne en tant qu'enseignant privatif auprès du dauphin accrédité.

DON DIÈGUE

Cette option qui privilégie mon environnement, médiatise son équité fondamentale et fait publiquement état de sa volonté d'inclure prioritairement dans son système de références les états de service cautionnés par l'historicité.

LE COMTE

Enfin, vous l'emportez. Et la faveur du Roi
Vous élève en un rang qui n'était dû qu'à moi,
Il vous fait gouverneur du prince de Castille.

DON DIÈGUE

Cette marque d'honneur qu'il met dans ma famille
Montre à tous qu'il est juste, et fait connaître assez
Qu'il sait récompenser les services passés.

LE COMTE

Les cadres supérieurs et l'ensemble du corps social relèvent d'une même spécificité ontologique fondamentale. Le contexte royal n'exclut pas un volant d'erreur qui témoigne de sa coessence quant au contexte général. Cette option signifie aux yeux de son entourage immédiat que les pouvoirs publics ne dispensent les promotions qu'à l'intérieur d'une fourchette limitative d'où sont exclues les prestations actuelles.

DON DIÈGUE

Faisons le black-out sur une frustration qui vous déphase psychiquement. Elle peut relever d'une pulsion affective autant que d'une juste évaluation des valeurs. Mais l'allégeance inconditionnelle postule qu'une décision prise à l'échelon royal soit envisagée dans une optique de non-retour.

LE COMTE

Pour grands que soient les rois, ils sont ce que nous sommes :
Ils peuvent se tromper comme les autres hommes;
Et ce choix sert de preuve à tous les courtisans
Qu'ils savent mal payer les services présents.

DON DIÈGUE

Ne parlons plus d'un choix dont votre esprit s'irrite;
La faveur l'a pu faire autant que le mérite;
Mais on doit ce respect au pouvoir absolu,
De n'examiner rien quand un roi l'a voulu.

Apportez un additif à l'honorariat dont il a été le promoteur; officialisons l'élimination des clivages qui différencient nos groupes familiaux. Nos épigones respectifs éprouvent une attirance sexuelle réciproque qui peut sacraliser nos rapports personnels dans le cadre d'une union légalement consentie. Donnez-nous le feu vert et l'acceptez pour gendre.

LE COMTE

Ce beau fils doit viser à un reclassement plus promotionnel. Votre escalade doit être pour lui le moteur d'une autosatisfaction autrement compétitive. Assumez-la, Monsieur, et consacrez-vous à l'acculturation du Prince. Montrez-lui comme il faut assurer la gestion d'une unité régionale décentralisée, soumettre à l'isonomie les masses géo-historiques satel-

A l'honneur qu'il m'a fait ajoutez-en un autre;
Joignons d'un sacré nœud ma maison et la vôtre :
Vous n'avez qu'une fille, et moi je n'ai qu'un fils;
Leur hymen nous peut rendre à jamais plus qu'amis :
Faites-nous cette grâce, et l'acceptez pour gendre.

LE COMTE

A des partis plus hauts ce beau fils doit prétendre;
Et le nouvel éclat de votre dignité
Lui doit enfler le cœur d'une autre vanité.
Exercez-la, Monsieur, et gouvernez le Prince :
Montrez-lui comme il faut régir une province,
Faire trembler partout les peuples sous sa loi,

lisées, établir un statut judicialiste dans un
univers manichéen.

Joignez la *praxis* au *logos* dans un contexte
belliciste. Montrez-lui comme il faut développer
ses potentialités dans le domaine corporel,
assumer son propre dépassement sur le plan
militaire, s'entretenir dans un état de non-
somnolence à l'intérieur d'un continuum à
vocation équestre, désintégrer une infrastruc-
ture, et assumer intégralement la résolution
d'une situation conflictuelle. Insérez l'exemplarité dans la méthodologie, élitisez-la à
outrance, portant l'approche des problèmes
concrets au niveau du faire et non du dire.

DON DIÈGUE

Il trouvera un système de références adéquat dans mon *curriculum vitae.*

Remplir les bons d'amour, et les méchants d'effroi.
Joignez à ces vertus celles d'un capitaine :
Montrez-lui comme il faut s'endurcir à la peine,
Dans le métier de Mars se rendre sans égal,
Passer les jours entiers et les nuits à cheval,
Reposer tout armé, forcer une muraille,
Et ne devoir qu'à soi le gain d'une bataille.
Instruisez-le d'exemple, et rendez-le parfait,
Expliquant à ses yeux vos leçons par l'effet.

DON DIÈGUE

Pour s'instruire d'exemple, en dépit de l'envie,
Il lira seulement l'histoire de ma vie.

Là, dans une constellation d'actions trans-
cendantales, il verra comme il faut intégrer
les blocs hostiles par la force de dissuasion,
investir une position clef, structurer une unité
de combat et s'institutionaliser à coups de
performances-choc.

LE COMTE

L'exemplarité du vécu est autrement dyna-
misante. La démarche théorétique est impro-
pre à la détermination des lignes de force d'une
éthique princière. Et que vaut votre historicité
à l'échelle des potentialités d'une seule de mes
journées?

Si votre pugnativité n'a plus d'existence
qu'à l'intérieur d'un donné folklorique, la
mienne est remarquable par son caractère

Là, dans un long tissu de belles actions,
Il verra comme il faut dompter des nations,
Attaquer une place, ordonner une armée,
Et sur de grands exploits bâtir sa renommée.

LE COMTE

Les exemples vivants sont d'un autre pouvoir,
Un prince dans un livre apprend mal son devoir.
Et qu'a fait après tout ce grand nombre d'années,
Que ne puisse égaler une de mes journées?
Si vous fûtes vaillant, je le suis aujourd'hui,

d'immédiatéité, et ce bras sous-tend les lignes
de force de notre ethnie. Les minorités de
Grenade et d'Aragon prennent une conscience
angoissée de leur vulnérabilité dans le cadre
du festival polémo-cinétique où domine la brillance de ce fer. Mon patronyme tient lieu de
ligne de défense stratégique à toute la Castille;
dans l'hypothèse d'une néantisation de ma
personne physique, vous seriez justiciable d'une
constitution octroyée et non négociée.

Mon standing se confirme pluriquotidien-
nement tant sur le plan du simple honorariat
que sur le plan de l'efficience stratégique. Le
Prince à mes côtés, au niveau des affronte-
ments, testerait son énergie psychique. Il déve-
lopperait sa compétitivité en visualisant mes
actions. Et au niveau de sa préexcellence éven-
tuelle...

Et ce bras du royaume est le plus ferme appui.
Grenade et l'Aragon tremblent quand ce fer brille;
Mon nom sert de rempart à toute la Castille :
Sans moi, vous passeriez bientôt sous d'autres lois,
Et vous auriez bientôt vos ennemis pour rois.

Chaque jour, chaque instant, pour rehausser ma gloire,
Met lauriers sur lauriers, victoire sur victoire :
Le Prince à mes côtés ferait dans les combats
L'essai de son courage à l'ombre de mon bras;
Il apprendrait à vaincre en me regardant faire
Et pour répondre en hâte à son grand caractère,
Il verrait...

DON DIÈGUE

Je le sais, vous êtes un féal inconditionnel. Je vous ai vu assumer votre propre dépassement, au niveau de nos conflits armés, sous ma juridiction propre.

Quand l'âge a sclérosé mes tissus, vous vous êtes positionné à mon niveau. Enfin pour couper court au développement d'une dialectique superflue vous actualisez mon historicité. Vous voyez pourtant qu'au niveau de ce contexte contestataire, un monarque, entre nous, établit un clivage.

LE COMTE

Ma part d'ayant-droit, vous l'avez monopolisée.

DON DIÈGUE

Je le sais, vous servez bien le Roi;
Je vous ai vu combattre et commander sous moi.

Quand l'âge dans mes nerfs a fait couler sa glace,
Votre rare valeur a bien rempli ma place;
Enfin, pour épargner les discours superflus,
Vous êtes aujourd'hui ce qu'autrefois je fus.
Vous voyez toutefois qu'en cette concurrence
Un monarque entre nous met quelque différence.

LE COMTE

Ce que je méritais, vous l'avez emporté.

DON DIÈGUE

La validation d'un mandant témoigne de sa légitimité.

LE COMTE

L'adéquation à la fonction constitue une norme ayant sa légitimité interne.

DON DIÈGUE

Etre court-circuité à la base est l'indice séméiologique d'une inadéquation fondamentale.

LE COMTE

Vous l'avez obtenu par un biais en tant que membre de la café-society.

DON DIÈGUE
Qui l'a gagné sur vous l'avait mieux mérité.

LE COMTE
Qui peut mieux l'exercer en est bien le plus digne.

DON DIÈGUE
En être refusé n'en est pas un bon signe.

LE COMTE
Vous l'avez eu par brigue, étant vieux courtisan.

DON DIÈGUE

Ma *saga* me tient lieu de public-relation.

LE COMTE

Transcendons le débat : le roi sacralise votre décrépitude.

DON DIÈGUE

Le roi établit ses indexations sur des critères de valeurs.

LE COMTE

Les choses étant ce qu'elles sont, cette sacralisation n'était due qu'à mon bras.

DON DIÈGUE

Un constat d'échec repose sur une inadéquation fondamentale.

DON DIÈGUE
L'éclat de mes hauts faits fut mon seul partisan.
LE COMTE
Parlons-en mieux, le Roi fait honneur à votre âge.
DON DIÈGUE
Le Roi, quand il en fait, le mesure au courage.
LE COMTE
Et par là cet honneur n'était dû qu'à mon bras.
DON DIÈGUE
Qui n'a pu l'obtenir ne le méritait pas.

LE COMTE

Inadéquation, moi?

DON DIÈGUE

Vous.

LE COMTE

Ton auto-surestimation, paranoïaque candidat au recyclage, aura son stimulus.

(Il lui porte une manchette de la surface palmaire.)

DON DIÈGUE

Hâte le processus et solde le conflit par ma liquidation physique, après une telle violation de tabou. La première qui ait remis en question l'immuabilité de mon organisation tribale.

LE COMTE

Ne le méritait pas! moi?

DON DIÈGUE

Vous.

LE COMTE

Ton impudence,
Téméraire vieillard, aura sa récompense.

(Il lui donne un soufflet.)

DON DIÈGUE, *mettant l'épée à la main.*

Achève, et prends ma vie, après un tel affront,
Le premier dont ma race ait vu rougir son front.

LE COMTE

Et que penses-tu faire, avec le déficit biologique corollaire à l'amoindrissement de la plasticité de tes structures globales?

DON DIÈGUE

O Dieu! L'accélération de mes processus de détérioration en cette situation climatérique me déconditionne.

LE COMTE

Ton arme blanche se trouve à l'état de disponibilité. Mais tu te sentirais exagérément déculpabilisé si j'avais appréhendé ce gadget démystifié.

LE COMTE

Et que penses-tu faire avec tant de faiblesse?

DON DIÈGUE

O Dieu! ma force usée en ce besoin me laisse!

LE COMTE

Ton épée est à moi; mais tu serais trop vain,
Si ce honteux trophée avait chargé ma main.

Adieu : suggère au prince d'interroger le donné de ton existence afin d'y puiser un corps de doctrine. Il trouvera dans cette pénalisation justifiée un système de référence adéquat à la conduite de ton discours.

Adieu : fais lire au Prince, en dépit de l'envie,
Pour son instruction, l'histoire de ta vie;
D'un insolent discours ce juste châtiment
Ne lui servira pas d'un petit ornement.

Scène v

DON DIÈGUE

O stress! ô break-down! ô sénescence aliénante! N'ai-je donc tant vécu que pour cette perturbation culpabilisante! Et n'ai-je donc perduré dans une escalade promotionnelle à vocation martiale, que pour déboucher sur l'instantanéité de ce retour au degré zéro de l'investiture!

DON DIÈGUE

O rage! ô désespoir! ô vieillesse ennemie!
N'ai-je donc tant vécu que pour cette infamie?
Et ne suis-je blanchi dans les travaux guerriers
Que pour voir en un jour flétrir tant de lauriers?

Mon bras, proposé comme archétype à l'hispanité, prise dans sa globalité, mon bras qui tant de fois fut l'élément vecteur de l'autonomie fondamentale de cette unité sociologique, tant de fois a conforté le trône de son substitut du père, cesse donc de sous-tendre ma contestation, et manifeste à mon égard une activité oppositionnelle de refus? O mémorisation éprouvante de ma saga! Réalisation pensée en termes de durée, durant des décennies et soudainement néantisée! Promotion éclair dommageable à mon confort moral! Champ gravitationnel où s'anéantit ma bonne conscience! Faut-il voir le Comte en assumer le leadership définitif? Et arriver au terme de mon processus biologique, sans assumer ma catharsis? Ou perdurer dans l'être, déconnecté par un sentiment de culpabilisation irréductible?

Mon bras qu'avec respect toute l'Espagne admire,
Mon bras, qui tant de fois a sauvé cet empire,
Tant de fois affermi le trône de son roi,
Trahit donc ma querelle, et ne fait rien pour moi?
O cruel souvenir de ma gloire passée!
Œuvre de tant de jours en un jour effacée!
Nouvelle dignité, fatale à mon bonheur!
Précipice élevé d'où tombe mon honneur!
Faut-il de votre éclat voir triompher le Comte,
Et mourir sans vengeance ou vivre dans la honte?

XI

L'ÉROTISME ET LA SEXUALITÉ

L'ÉROTISME et la sexualité, tels qu'on les consomme aujourd'hui, sont un ferment de culture philosophico-socio-médicale où prolifère un hexagonal d'une rare virulence.

Encore faudrait-il s'arrêter un peu sur la nature particulière de l'érotisme contemporain.

De tout temps, en effet, les hommes ont montré du goût pour les ouvrages galants, les gravures légères et les magazines licencieux.

C'est sans arrière-pensées doctrinales qu'ils s'aventuraient sur les chemins de traverse de la littérature et des beaux-arts, sans fausse honte qu'ils s'adonnaient à un penchant bien naturel.

On les aurait bien étonnés en leur présentant le plaisir qu'ils tiraient de ces divertissements comme un « acte libérateur » ou une démarche intellectuelle chargée d'un contenu philosophique.

L'homme contemporain, l'homme *sérieux*, vivant dans le contexte culturel élevé qui est le nôtre, ne souffrirait pas d'être assimilé au vulgaire amateur de polissonneries qui constituait la clientèle de choc des enfers de nos musées et de nos bibliothèques.

Pourtant jamais l'érotisme et la sexualité n'ont été autant en honneur qu'aujourd'hui.

Cela ne veut pas dire que notre siècle soit plus libertin qu'un autre, loin de là.

Comme dit ma préposée au bureau du renseignement[1] : « Ce ne sont pas ceux qui en disent le plus qui en font le plus. »

D'autre part, l'homme contemporain est un animal philosophique, politique et moral, teinté à l'occasion de puritanisme intellectuel.

Feuilletez les auteurs qui « pensent » l'érotisme : les mêmes formules-clichés s'y retrouvent à chaque page, et traduisent ces tendances moralisantes : « l'érotisme est une éthique », « l'érotisme est une ascèse », etc.

Pour l'auteur d'*Emmanuelle*, il est « le haut refuge de l'esprit de poésie parce qu'il tente l'impossible ».

Bref, l'érotisme d'aujourd'hui est tout sauf une rigolade. C'est un rendez-vous studieux où les amoureux fervents servent de sujet de réflexion aux savants austères.

Le profond esprit de sérieux qui règne sur notre néo-érotisme n'est en fait qu'un tour de passe-passe intellectuel légèrement teinté de tartufferie, car si la lettre a changé, l'esprit en

1. On sait que les « concierges » ont disparu de l'Hexagone.

est le même. (J'ai toujours été frappé, par exemple, de la similitude qui existe entre le symbolisme de Sigmund Freud et celui des chansons de Félix Mayol — voir entre autres la chanson *Elle vendait des petits gâteaux*.)

Pour être contemporain, l'homme contemporain, en effet, n'en est pas moins homme, et il a bien fallu qu'il trouve un biais pour donner un cours normal à son penchant naturel tout en restant fidèle à l'image de lui-même qu'il lui importe de sauvegarder.

L'érotisme est donc devenu une facette supplémentaire de notre manie moralisatrice, à grand renfort de cuistrerie hexagonale, on s'en doute. Ouvrir un livre galant, de nos jours, c'est « tenter une approche du continent noir », « désacraliser un tabou], », « s'enrichir d'un élément de promotion spirituelle », tout ce qu'on veut sauf se livrer à un divertissement futile.

Trois orfèvres à la Saint-Éloi s'en allant dîner chez un autre orfèvre, dans un contexte contemporain, ne s'y livreraient pas aux débordements que l'on sait, car ces débordements ne sont que « simple réponse à un instinct biologique, plus que dessein esthétique; recherche du plaisir des sens plutôt que de l'esprit ».

Trois orfèvres, à la Saint-Éloi, s'organiseraient vraisemblablement en un dîner-débat afin de définir une éthique de l'érotisme et une problématique de la sexualité dans le cadre des rencontres culturelles et des confrontations éducatives du syndicat de l'orfèvrerie. Exagération?

J'écris cela avec, devant les yeux, une coupure de presse relatant que « *Marguerite Duras lira mercredi pour un groupe d'élèves du collège technique de Versailles, et samedi prochain pour un groupe de mineurs d'Hénin-Liétard, des poèmes d'Henri Michaux et des pages d'Herman Melville* ».

Qui ose dire qu'on ne fait rien pour l'ouvrier?

Son label nordique et scandinave met l'accent sur l'hypothèque puritaine de l'érotisme au goût du jour.

Il y a en lui du protestant émancipé et du catholique dans la course. Cette escalade de l'érotisme est particulièrement virulente dans le domaine de la cinématographie : le grand écran est la plus noble conquête de l'érotisme.

Avec un montage tiré des œuvres les plus cotées du cinéma international contemporain, on pourrait constituer une sorte de Caméra-Soutra cinématographique qui ne serait pas piquée des hannetons mais qui serait cautionnée par les autorités morales, culturelles et religieuses les moins discutées puisque le dessein de l'entreprise est de donner bonne conscience aux consommateurs bourgeois de toutes appartenances (la bonne conscience étant ce dont un bourgeois a le plus grand besoin, qu'il assume sa classe ou la renie).

Tel confrère voit dans la littérature érotique, ou mieux, dans les résonances érotiques qui peuvent jaillir de la littérature (nuance) « une mise en situation anti-égoïste bien plus qu'une propédeutique à l'action directe »...

Ce qui naturellement ne veut pas dire grand-chose mais fait profond; le résultat est que, par les vertus de l'hexagonal, l'amateur de polissonneries ne peut plus être confondu avec le client furtif des librairies suspectes. Selon un processus analogue, le dépliant du remarquable ouvrage de Roland Villeneuve sur *Le Fétichisme et l'Amour* vise à vous laver de toute suspicion par l'hexagonal de sa publicité :

« *L'auteur ne borne pas son étude sur le fétichisme dans l'amour à la démonstration pourtant révélatrice que la projection libidineuse sur l'objet, la posture ou la situation vient du sursaut le plus désespéré de l'âme humaine pour échapper à la solitude du désir.* »

Le parti pris d'intellectualiser à tout prix donne parfois des résultats bouffons.

C'est ainsi qu'une de nos talentueuses consœurs de la presse écrite n'est pas sans avoir remarqué que les hommes portent volontiers leur regard sur le bas des mini-jupes. Cette attitude incompréhensible l'a plongée dans une grande perplexité. La voici donc s'interrogeant sur « l'émoi suscité par une paire de jambes » et établissant un parallèle entre cette mystérieuse réaction et « l'émoi suscité par un décolleté » (beau sujet de bachot). Interrogation à la suite de laquelle elle nous rend compte de ses découvertes, en bon hexagonal.

« *Il y a*, explique-t-elle, *toute une symbolique du sein liée à l'image maternelle qui est sécuri-*

sante, alors que la symbolique du sexe féminin est menaçante. Gouffre, enfer, abîme, où l'homme épuise ses forces et se détruit. »

Et voilà pourquoi votre fille est minette.

« *Cela explique peut-être*, ajoute-t-elle, *pourquoi les regards masculins sont si souvent chargés de méchanceté lorsqu'ils s'absorbent dans une jupe trop courte pour être honnête...* »

De la méchanceté? Dans les regards *masculins*?

Mais non, chère consœur, la vérité est plus simple et peut s'exprimer hors hexagonal.

Je vais vous expliquer.

La tendance à se rincer l'œil est inhérente à tout homme normalement constitué. Comme par ailleurs on a de l'éducation, on veille à ce que le regard ne soit pas trop insistant. D'où cet air vaguement sournois que vous prenez pour un air méchant.

Ce n'est pas plus compliqué.

L'hexagonal sexologique a une autre fonction que celle de chercher midi à quatorze heures dans les conversations de bon ton entre gens passés par les écoles. La vérité, c'est qu'il s'est substitué au latin de nos aïeux et permet, en ses mots, de braver l'honnêteté. On aurait tort pourtant de s'illusionner exagérément sur ses pouvoirs. Il arrive souvent que, par l'excès même de sa précision, le terme savant, recherché, ou simplement convenable, ait des résonances plus difficiles à accepter que celles du mot trivial.

Si, pour faire plus technique ou plus dis-

tingué, on remplace par exemple « pet de
nonne » par « vent de nonne » ou « gaz de
nonne », on constate que l'effet obtenu est le
contraire de l'effet recherché.

Et il y a une sorte d'obscénité ingénue
dans la façon dont certaines agrégées parlent
des choses du sexe, en appelant ces choses par
leur nom savant. L'impudeur des chastes n'a
pas fini de nous déconcerter.

Le lecteur trouvera un aperçu de ce sexagonal dans le présent chapitre qui a été rédigé,
non plus sous la forme de manuel de conversation utilisé jusqu'à présent, mais sous celle
d'une scène d'amour sous-titrée, jouée par
deux personnages : Elle et Lui; version hexagonale d'un côté et version française en regard.

Le dialogue est fait de citations fidèlement
empruntées à des auteurs spécialisés dans l'érotisme et la sexologie.

Afin de rester dans les limites de l'honnêteté, la traduction française du texte hexagonal n'est pas toujours littérale, mais tout en se
tenant dans une approximation décente, reste
fidèle à l'esprit. Nous faisons confiance au
lecteur. Il se trouvera donc dans la position
d'un spectateur de cinéma frotté d'anglais
qui reconstitue son mot à mot dans le vague
d'une version sous-titrée.

Et nunc erudiminijupe.

ET LA ZONE DE MA CHAIR QUI APPARAIT
COMME UN DONNÉ SANS DESTINATION,
C'EST DU POULET?

Personnages : ELLE et LUI.

(La scène représente un studio moderne.
Au mur, des œuvres abstraites.
A droite, un divan.
Quand la scène commence, ils sont en train
d'examiner des gravures.)

EN FRANÇAIS	EN HEXAGONAL
LUI	
Vous vous intéressez à la peinture?	Vous êtes concernée par le traitement de la spatialité?
ELLE	
A l'occasion.	Casuellement.
LUI	
Quand ça se présente, quoi?	Oui... Quand il y a une occurrence...

(Il lui montre un dessin extrait de sa collection
de gravures japonaises.)

ELLE	
Vous, vous avez des idées de derrière la tête.	Vous, vous avez des motivations occultes.

LUI *(mi-figue, mi-raisin)*

Mais non. Je cherche simplement à comprendre votre caractère.	Mais non, je cherche à forcer votre système de conditionnement intime.

ELLE

Oh, ça n'est pas tout simple.	Oh, c'est que j'ai un vecteur de personnalité à composantes multiples.

(Il l'entraîne vers le divan où il la fait asseoir.)

LUI

Asseyez-vous donc.	Relaxez-vous donc.

ELLE *(jetant un regard circulaire)*

Il est très bien cet appartement.	Vous avez une suite adéquate.

LUI

C'est une maison où tout est très pratique.	C'est un immeuble entièrement asservi à ses habitants.

ELLE

Et puis j'aime ce silence.	Et puis j'aime cette isolation phonique.

LUI

Vous, vous avez un caractère indépendant.	Vous, vous existez en pour soi.

ELLE

Les gens me fatiguent. | L'altérité des exis-
| tants me néantise.

LUI *(avec un air entendu)*

J'ai l'impression que | Je subodore en vous
quelque chose ne colle | un disfonctionnement
pas dans votre vie pri- | sexuel...
vée. |

ELLE

A franchement parler, | A franchement parler,
mon mari et moi, ça | je n'accède pas à la
n'est pas ça. | complétude dans la
| conjonction intime.

LUI

Il se détache de vous? | Votre conjoint a subi
| une involution
| sexuelle?

ELLE

Non. Au fond, c'est | Non. C'est moi qui dé-
moi qui ai tendance à | sire, en me faisant
regarder les mouches | objet, demeurer sujet.
voler, dans les circons- |
tances que vous devi- |
nez. |

LUI

Est-ce que vous ne | N'y a-t-il pas dans
portez pas un peu trop | votre cas un peu d'hy-

la culotte dans votre ménage? | perandrogénie?

ELLE

En tout cas, quand il me prend dans ses bras, je pense à tout autre chose...

En tout cas, sous l'influence d'un stimulant génital direct, je fixe mon attention sur des pensées non stimulantes...

LUI *(insinuant)*

Ou à d'autres hommes...?

Ou sur des phantasmes polyandriques?

ELLE

Que voulez-vous : on se lasse des meilleures choses.

Que voulez-vous : l'entropie guette l'érotisme comme l'univers tout entier.

LUI

Ça ne doit pas être drôle pour lui.

Cela doit donner lieu, en ce qui le concerne, à des exonérations tristes.

ELLE

Pour moi non plus.

J'éprouve moi-même une gêne pelvienne vaso-congestive frustrante.

LUI

Bien sûr. Nous sommes parfois forcés de feindre des sentiments que nous n'éprouvons pas.

Certes. Les modèles d'expression paroxystiques orientés psychosocialement se développent spécifiquement en réponse aux exigences sociales croissantes et à l'exigence d'un cycle d'évolution.

ELLE

Que voulez-vous...
Quand je le vois venir à moi haletant, impérieux...

Que voulez-vous...
Devant cette ventilation, cette tachycardie...

LUI

Vous vous dérobez?

Vous effectuez un repli stratégique?

ELLE *(mi-figue, mi-raisin)*

Il y a des solutions plus diplomatiques...

On éduque un époux indésiré à la résignation décongestive.

LUI

Et pourtant il fait tous vos caprices.

Et pourtant, il est d'une extrême non-directivité.

ELLE

Oui, mais je crois qu'une femme aime de

Oui. Mais je pense qu'il y a dans l'exis-

temps en temps être | tant un désir inau-
dominée... | thentique de fuite...

LUI

Pourquoi vous êtes- | Pourquoi avez-vous
vous mariée? | opté pour la sacrali-
| sation du colloque
| amoureux dans une
| perspective monoga-
| mique?

ELLE

Pour avoir des enfants. | Pour assurer la finalité
| biologique de l'instinct
| sexuel.

LUI

Ah, vous vouliez des | Ah, vous êtes accep-
enfants? | tatrice?

ELLE

Mais j'en ai. | Mais je suis pare.

LUI *(galant)*

On ne le dirait pas; | Eh bien, vous n'avez
vous êtes restée très | pas stocké en kilos!
mince. |

(Un temps, puis, à brûle-pourpoint :)

Et vous n'aviez pas eu | Et vous n'aviez pas eu
d'amants? | d'histoire sexuelle pré-
| maritale?

ELLE

Non, je m'étais réservée pour mon mari. │ Non. J'étais allergique au congrès préconjugal.

LUI

Peut-être vous êtes-vous mariée un peu jeune? │ Peut-être n'étiez-vous pas érotiquement mature?

ELLE

Je fréquentais surtout des jeunes filles de mon âge... En fait j'étais en pension et, dès que je suis sortie de pension, je me suis mariée. │ Je me situais dans un contexte culturel peu déterminant sur le plan de l'érotisation... Et j'ai accédé enfin à la phase d'invagination de la libido phallique.

LUI

Et le mariage vous a déçue...? │ Et vous n'avez pas réalisé l'évolution objectale...?

ELLE

Oui. Il me semble que mon mari ait été un peu égoïste ou peut-être un peu maladroit. │ Non. J'avais des phases de résolution frustrantes...

LUI *(soudain pressant)*

Et jamais, avant ou après votre mariage, │ Et jamais dans votre contexte pré- ou post-

vous n'avez pensé à trouver un consolateur?

conjugal vous n'avez fait intervenir d'élément extramarital?

ELLE

Non. Parfois, le soir, avant de m'endormir, je rêvais au prince charmant.

Non. Jamais. Ma pulsion sexuelle était autoérotique.

LUI

Je vois. Par peur des réalités, vous préfériez vous réfugier dans le rêve...

Je vois. Vous étiez une peccatophobe remplaçant l'activité alloérotique par une activité autoérotique...

ELLE

Mais ça ne remplace pas un amoureux en chair et en os.

Oui, mais la réponse solitaire aux techniques compensatoires est loin d'équivaloir un acmé obtenu dans le contexte de rapports interpersonnels.

LUI

Mais vous ne pensez pas que, parfois, on a besoin de changement?

Mais vous ne pensez pas que la réaction concomitante mutuelle du désir inconscient de variation est l'accroissement possible du besoin d'un changement d'exutoire de façon à stimuler la capacité sexuelle?

ELLE

Je ne peux pas me donner à n'importe qui. | J'ai un instinct génésique sélectif.

LUI

Manque de tempérament? | Anesthésie endémique? Allergie à l'Autre?

ELLE

Non. Mais il faudrait beaucoup de choses pour me décider. | Non. Mais mon désir est conditionné par l'intervention d'un faisceau considérable de composantes psychiques.

LUI

Oui. Vous êtes froide. | Oui. Vous êtes hypogénésique.

ELLE

Pas du tout. Je suis très capable d'amour. | Aucunement. Je présente même une vive sensibilité du foyer érotogène.

LUI

Ah, mystère du cœur féminin! | Ah, le continent noir qu'est la zone passive érogène!

Est-ce que, par hasard, les hommes vous feraient peur?

Au fait. N'y a-t-il pas hétéro-sexophobie dans votre cas?

ELLE *(désabusée)*

Non. Mais je n'ai guère de préjugés sur ce point.

Je suis au stade de l'indifférenciation quant à l'électivité de ma sensibilité amoureuse...

(puis malicieusement)

Mais vous-même, est-ce que le cas échéant...

Mais vous-même, avez-vous une éthique sexuelle personnelle hétérodoxe?

LUI

Non...

Mais non.

(revenant à son sujet)

Mais peut-être est-ce la crainte des conséquences qui vous retient?

Mais si votre frigidité n'est pas sexophobique, n'est-elle pas l'expression d'une anorexie de la parturition?

ELLE

Aujourd'hui? Avec les progrès accomplis en matière de planning familial? Et la pilule? Qui peut avoir peur des conséquences!

Et l'orthogénisme... et le progestogène de synthèse? La gravidité relève aujourd'hui des disciplines prospectives.

LUI *(changeant brusquement de ton)*

Alors viens. Je te désire. | Alors viens. Tu es un existant à qui je demande de se faire objet...

ELLE *(surprise)*

Comme vous y allez! | L'angoisse de l'échec ne vous affecte guère.

LUI *(pressant)*

Je te jure que tu n'auras rien à craindre de moi. | Je me situerai dans une perspective malthusienne contraceptive.

ELLE *(essayant de le repousser)*

Les hommes, dès que vous voyez un jupon... | Comme beaucoup d'hommes vous séparez la sexualité de son contexte psycho-affectif.

LUI *(lyrique)*

Non. Tu verras. Avec moi ce sera différent. | Nous réinventerons la sexualité.

(Un silence)

LUI

Je vous déplais? | Je présente des disgrâces freinatrices?

ELLE

Non. Mais il nous faut de la poésie, à nous autres femmes...	Non. Mais les facteurs exogènes sont déterminants... Vous n'ignorez pas l'importance préformatrice des représentations mentales et des fonctions psychogéniques sur les fonctions biologiques.

(Brusquement, il veut la prendre dans ses bras.)

ELLE *(s'éloignant effrayée)*

Modérez-vous! Qu'est-ce qui vous arrive?	Quel est le sens profond de cette réaction myotonique!?

LUI *(dépassé par les événements)*

Eh oui...	C'est mon *mana* qui m'échappe...

ELLE *(indulgente au fond)*

Quelle impulsivité!	Quelle énergie de la pulsion hédonique!
Vous me faites rougir..	Vous provoquez en moi une réaction cutanée!

LUI *(redevenant lui-même)*

Ma chère, je n'aime pas les femmes sophistiquées.	Ma chère, je n'aime pas la femme qui est un analogon à travers le-

quel est suggéré un objet abstrait qui est le personnage en qui elle s'efforce de s'aliéner.

ELLE *(coquette)*

Toutes les femmes sont sophistiquées. Mais c'est parce qu'elles sont moins matérielles que vous.

Mais la femme est à la fois physis et antiphysis. Seulement, quelle que soit l'efficacité des stimulus de source somatique, la portée psychique inhérente à toute approche de stimulation chez la femme a une valeur constante...

LUI *(avec une pointe de commisération)*

Vous vous étudiez trop.

Vous avez une conscience introspective exacerbée.

(puis, persuasif)

Laissez-vous aller.

Diminuez le rôle inhibiteur de la composante émotivo-affective.

Ne pensez à rien.

Relâchez votre contrôle cortical.

ELLE

Mais ce n'est pas de moi que cela dépend. Nous autres femmes sommes de telles sensitives.

L'hyperaffectivité féminine, clef de voûte de la fonction érotique de la femme, ne se développe qu'autant qu'elle a été déterminée par des incitations préalables, d'ordre sensoriel.

LUI

Sois belle et tais-toi.

Je réclame que ta chair se présente dans sa facticité.

ELLE *(surprise)*

Ma parole, mais le voilà reparti.

Oh! Quelle dynamique objectale.

LUI *(tendre)*

Tu es bien?

Ta réceptivité est accrue?

ELLE *(peu à peu conquise)*

Tu le demandes?

Ma transposition irradiante interne n'est-elle pas perceptible?

LUI

Je le lis dans tes grands yeux.

Oui, par le truchement de tes pupilles en myriadose.

ELLE

Embrasse-moi encore. | Prolonge ce maraî-
chage.

LUI

Pourquoi n'enlèves-tu pas tes vêtements? Crois-tu que ce serait te dégrader à mes yeux? Quelle erreur. | 90 pour 100 des individus cultivés (licenciés, professions libérales) se déshabillent pour consommer le rapport sexuel contre 66 pour 100 des demi-cultivés (employés, bacheliers, commerçants) et contre 43 pour 100 seulement des gens dits incultes.

ELLE

Pardonne ma confusion. | Pardonne mon hyper-coloration par vaso-dilatation.

(Elle soupire longuement.)

LUI

Quelle sensibilité! | Quel conditionnement émotif!

ELLE

Touche mon cœur et vois comme il bat. | C'est que je suis hyperesthésiée.

LUI

Je comprends ton émotion.	D'où ta constriction généralisée.

ELLE

J'essaie de comprendre ce qui se passe en moi.	J'éprouve une somme d'incitations neuro-psychiques contemporaines d'un état d'âme défini.

LUI *(à part)*

Toutes les mêmes.	Pour que la femme puisse concilier sa métamorphose en objet charnel et la revendication de sa subjectivité, il faut qu'en se faisant proie pour l'homme elle fasse aussi de lui sa proie.

LUI

Je crois que nous sommes faits pour nous entendre.	Notre connexion est apparemment la résultante d'une euparennie fondamentale.

ELLE
(avec une moue charmante)

Et moralement aussi, nous nous entendons bien.	Contemporaine d'une synthèse psychique cohérente.

LUI *(la dévisageant avec tendresse)*

A quoi penses-tu?	Quel est ton itinéraire intérieur?

ELLE *(coquette)*

Je me demande si tu m'aimes pour moi-même...	Je crains que mon corps ne soit saisi non comme le rayonnement d'une subjectivité mais comme une chose empâtée dans son immanence...

LUI *(taquin et peut-être un peu sincère)*

Je ne sais pas si je t'aime ou si je te déteste, tiens!	Tu es un objet ambivalent.

(Ils se contemplent longuement l'un l'autre, en silence.)

ELLE

Comme c'est différent, ton corps à côté du mien.	Comme notre dimorphisme est contingent.

LUI

On est différents, et au fond on est pareils.	Un soma identique est modifié par des actions hormonales géotypiquement définies.

ELLE *(rêveuse)*

On n'est pas toujours soi-même.	On ne peut pas toujours s'assumer comme l'inessentiel.

Ainsi, elle préserve sa transcendance tout en s'anéantissant dans son immanence, au sein d'un contexte libidinal dans lequel le dépassement de soi est secondaire à une abdication masochiste qui lui donne le privilège d'admirer dans la tyrannie qui s'exerce sur elle l'évidence d'une liberté souveraine, puis nos deux héros, dont la potentialité n'est plus à démontrer, tentent de donner raison aux statistiques les plus flatteuses.

XII

LE SEXAGONAL PAR LA CHANSON

Un jour « amour », rompant avec une tradition séculaire, a cessé de rimer avec « toujours » et « Je t'aime » pour la première fois a
rimé avec « problème ». Cela se passait dans la
chanson du film *Tumultes* (« Qui j'aime? Problème, etc. »). Ce jour-là fut une date importante dans l'histoire de la chanson. Le cœur
de la romance populaire lui montait à la tête;
ce qui devait devenir l'hexagonal établissait
ainsi sa première tête de pont dans les classes
laborieuses. Le langage nouveau était prêt à se
développer avec la luxuriance d'une plante
tropicale, dans un terrain déjà ensemencé.

Ce n'est pas une anthologie de la chanson
hexagonale que propose ce chapitre, mais simplement, en partant de la chanson, un complément au chapitre précédent.

En tant qu'elle exprime toutes les nuances
de la passion et vulgarise certains aspects
criants de l'amour physique, la chanson débouche, à sa façon, sur l'érotisme et la sexualité,
mais, nouvel opium du peuple, le fait presque

toujours en termes édulcorés : afin d'assurer la diffusion de leurs œuvres dans toutes les couches de la société, les paroliers d'autrefois mettaient en effet une feuille de vigne au dictionnaire de rimes.

Mais les refrains célèbres recouvrent souvent une réalité beaucoup plus vive. Il nous a semblé instructif de restituer ici cette réalité en langue hexagonale à l'usage des étudiants désireux de se perfectionner dans ce qu'on pourrait appeler le *sexagonal* et de se familiariser avec le mécanisme de la traduction, en partant d'exemples très simples et fragmentaires, classiques pour la plupart, à présent dans toutes les mémoires.

Certains éléments de cette traduction sont d'ailleurs empruntés au chapitre précédent afin de permettre à l'élève d'effectuer[1] des recoupements qui conforteront ses notions d'hexagonal.

EN FRANÇAIS	EN HEXAGONAL
D'art et d'amour	D'activité culturelle et d'élan libidinal biologique.
Je vivais toute	Je perdurais fondamentalement dans l'être.

1. « Effectuer », de préférence à « faire », en hexagonal.

Sans faire le mal, au long de ma route...

Dans un climax de non-violence, déculpabilisant...

. . . .

. . . .

L'amour est enfant de Bohême...

Le tropisme biologi - que est un ressortissant tchèque d'expression germanique...

Qui n'a jamais connu de loi.

... spécifiquement au - todéterminé.

Si tu ne m'aimes pas je t'aime

Si tu t'inhibes, ma potentialité est d'essence phallocratique.

Et si je t'aime, prends garde à toi.

Et si tu es l'objet privilégié, à travers lequel j'asservis la nature, gare au trauma génital...

. . . .

. . . .

C'est l'amour qui flotte dans l'air à la ronde...

Ce sont les corps sexués qui cherchent à entrer en rapport avec d'autres existants.

. . . .

. . . .

Je suis comme ça,

Telle est mon équation personnelle,

C'est mon caractère.

C'est mon habitus psycho-sexuel.

. . . .

. . . .

Les jolis petits païens	Le mini-ensemble de la glande mammaire, de la peau qui le recouvre et du tissu cellulo-adipeux qui l'entoure
C'est toute la femme	est un objet privilégié à cause de la contingence de son épanouissement et de la symbolique liée à l'image maternelle sécurisante.
Mais z'oui, madame.	Assurément, madame.
Je le soutiens	J'opine dans ce sens
Ah! quel plaisir	Ah! quelle transposition irradiante interne
Quand nos yeux les devinent,	Quand la stimulation d'un voyeurisme instinctuel les révèle comme l'immanence du donné
Ah! quel désir	Ah! quelle valeur érectogène
Quand nos doigts les lutinent	Quand se déchaîne leur pouvoir de contrectation dans un contexte érotico-ludique.
Ils font bientôt sous nos étreintes	Ils apparaissent en tant que le support

Des bonds et même des pointes...

réflexogène le plus dynamique ainsi qu'en témoigne leur thélo - tisme...

. . . .

. . . .

Sur cette terre

Au sein de cette biosphère

ma seule joie, mon seul bonheur

mon euphorisant spécifique, mon critère suprême,

c'est mon homme.

c'est mon substitut du père.

Ce n'est pas qu'il est beau,

Non que je voie en lui la manifestation d'une transcendance ani - mant une chair qui ne doit jamais retomber sur elle-même,

Qu'il est riche, ni costaud,

Ni qu'il soit d'un haut niveau compétitif, tant sur le plan économique que sur le plan de l'affirmation de soi,

Mais je l'aime.

Mais sa présence exacerbe en moi un besoin génital secondaire à une disponibilité des organes.

Dès qu'il me regarde
c'est fini, je suis à lui.

Son regard détermine
une réaction de déséquilibre vago-sympathique favorisée par la
diminution du contrôle
conscient des centres
nerveux qui fait de
moi une narcissiste
aliénée dans son moi.

Quand ses yeux sur
moi se posent
Ça m'rend tout chose

La réceptivité de mes
zones érogènes est subordonnée à l'existence d'un minimum
d'érotisation neuropsychique tel qu'en
réponse à un simple
stimulus visuel, je
m'assume comme l'inessentiel,

C'est idiot

C'est irrationnel

Il m'fout des coups
Il m'prend mes sous
Je suis à bout

J'admire dans la tyrannie qui s'exerce
sur moi l'évidence
d'une liberté souveraine

Mais malgré tout

Ce nonobstant

Que voulez-vous

C'est fou

Je l'ai tellement dans la peau	Ma transcendance se dégrade tellement en immanence
Qu'au moindre mot	Qu'au moindre pho-nème
Il me ferait faire n'im-porte quoi	Mon pour autrui se confondrait avec l'acte même... D'ores et déjà,
J'tuerais ma foi J'sens qu'il me ren - drait infâme	j'irais jusqu'à l'action ponctuelle et à la désin-tégration maximale de ma psyché.
Mais je ne suis qu'une fe-e-mme.	Mais je ne suis qu'un existant à qui on de-mande de se faire objet dans un contexte d'é-rogénité conca-a-ve.
. . . .	. . . .
Je t'aime	Tu es mon objet d'ai-mance
Quand même	Les choses étant ce qu'elles sont
Éprise	Hyperaphrodisiée
Conquise	Acceptatrice
Soumise	Imbue des représen-tations collectives qui donnent à l'éré-thisme masculin un ca-ractère glorieux

J'arrive à toi	Mes différentes zones érogènes se subordonnent au primat de la zone fondamentale
Dès que je vois tes yeux, j'hésite	Dès que je vois tes yeux, je fixe mon attention sur des pensées non stimulantes
Ensuite	Secondairement
Conquise	Oblative
Soumise	Ma transcendance foudroyée
J'arrive.	Mon corps n'existe plus pour moi, mais en soi.
Car il n'est qu'un seul bonheur pour moi C'est toi.	Car c'est sur toi, qu'à travers mon narcissisme, j'objective ma libido.
. . . . Je ne sais pas faire la cour. Mais dans l'art de faire l'amour On m'a dit que j'étais un maître.	. . . . Mon inaptitude à la courtisation est secondaire à une connaissance réputée magistrale en matière de synousiologie.
. . . . Quand on est vraiment amoureux	. . . . Quand on a un désir érotique sélectif
Madame on ne peut *(bis)*	Madame on ne peut *(bis)*

En aimer qu'une.

Qu'avoir une éthique sexuelle monogame.

. . . .

. . . .

Quand je danse avec lui

Quand je m'abandonne à son processus de créativité chorégraphique

C'que j'ressens c'est inouï.

Il s'ensuit de ma part une complaisance somatique hautement revendicante.

. . . .

. . . .

Je n'peux pas vivre sans amour

J'ai une réserve de facteurs psychiques et une charge neuromusculaire considérable

J'en rêve la nuit et le jour

Mon désir ne fait que croître jusqu'à atteindre un véritable paroxysme érotico-psychologique où les phantasmes se succèdent l'un à l'autre

Loin des caresses

Loin des cajoleries digitales

Loin des maîtresses

Loin des objets d'aimance

Je m'sens si seul, si seul, si seul.

je ne suis qu'objet qu'objet, qu'objet.

. . . .

. . . .

Parlez-moi d'amour	Parlez-moi de la relation privilégiée avec l'Autre...
Redites-moi des choses tendres.	Entretenez l'état de suggestion croissante prédisposant à la réponse affective par des incitations préalables d'ordre auditif.
. . . .	. . . .
Un doux parfum qu'on respire	Des composantes olfactives subliminaires
C'est fleur bleue.	C'est fleur bleue.
. . . .	. . . .
J'ai longtemps rêvé de vous parler, chérie,	J'ai été longtemps sujet à une érotisation onirique, chérie,
Bien avant de vous connaître.	Bien avant de vous contacter.
. . . .	. . . .
C'est si bon	C'est si euphorisant
Ces petites sensations Tout le long de mon dos.	Ces articulations neuroniques réflexes, assurant la transmission dans le sens ascendant des multiples incitations venues de la périphérie, dans le sens descendant, des ordres émis par les centres

. . . .

Toi, tu n'ressembles à personne.

. . . .

Tu t'laisses aller...

Pour maigrir, fais un peu de sport.

. . . .

Je me suis fait tout petit

à cause d'une poupée

Qui ferme les yeux

Quand on la touche

Qui dit « maman »

transformateurs céré-braux.

. . . .

Toi, tu t'affirmes dans ton unicité.

. . . .

Ton image s'insère dans la quotidienneté.

Pour éviter de stocker en kilos, affirme-toi comme sujet, afin qu'il y ait une libération à l'égard de ta chair contingente.

. . . .

J'ai volontairement subi un processus d'aliénation

A cause d'une poupée

Qui affecte un réflexe physiologique destiné à compenser la dilata-tion de la pupille pour abolir la singularité de l'instant sur une sim-ple stimulation tactile.

Dont les phonèmes in-contrôlés expriment un complexe d'Œdipe orienté vers la mère

Quand on la couche.	Quand on la place en position de décubitus dorsal.
. . . .	. . . .
Je t'aime, tu m'aimes, On s'aimera toujours.	Notre responsivité sexuelle s'inscrit dans un continuum diachronique.
. . . .	. . . .

XIII

LETTRES, ARTS, SALONS ET JOURNAUX

LE HÉROS du roman américain *L'Attrape-Cœurs*[1] dit, à propos d'une de ses jeunes amies : « Je la trouvais très intelligente, dans ma stupidité. La raison pour laquelle je la croyais très intelligente, c'est qu'elle en connaissait un bon bout sur le théâtre, les pièces, et la littérature et tout ce machin. Quand quelqu'un en connaît un bon bout là-dessus, ça vous prend pas mal de temps pour découvrir s'il est réellement stupide ou non. Ça me prit des années pour le découvrir... »

Lignes d'une rare profondeur et qui reposent sur une constatation très juste : les opinions d'une génération sur les lettres et les arts se fondent en effet sur un certain nombre d'idées reçues et de formules péremptoires qui résultent d'un matraquage intensif et s'imposent aux esprits conditionnés avec autant de force que la propagande politique. A force d'être rabâchées, selon le processus cher à feu le docteur

1. Par J. D. Salinger, Robert Laffont éditeur.

Gœbbels, les affirmations les plus arbitraires, les impostures les plus criantes finissent par constituer des évidences que plus personne ne songe à mettre en doute. Si bien qu'il existe, à côté du vocabulaire hexagonal, une pensée hexagonale véhiculée par un ensemble de mots clefs et de vérités standard à partir desquels s'est constitué un authentique instrument de communication offrant aux initiés la possibilité d'échanger les idées cotées sur le marché, sans même que la pensée ait à intervenir. Ces signes d' « intelligence » au sens littéral du mot (surtout en Hexagone où on fait intelligence de tout) constituent un code horizontal ou vertical, c'est-à-dire utilisable par ceux qui consomment les œuvres aussi bien que par ceux qui les produisent et permettant aux premiers de se reconnaître entre eux ou de correspondre avec les seconds.

Il n'est pas exclu en effet que l'étudiant en hexagonal se sente aiguillonné par le démon de la création; ce chapitre est destiné à lui fournir dans ce cas les éléments d'un art poétique applicable à toutes les branches de l'activité artistique, ou, plus exactement, à ses antibranches. Car l'art contemporain, et c'est une des clefs de notre art poétique, ne comporte pas des branches, mais des antibranches.

Vous n'écrirez donc pas de romans mais des antiromans; vous ne produirez pas pour le théâtre mais pour l'antithéâtre. De même, vous ferez de l'anticritique, de l'antireportage, de l'antipoésie, et vous rédigerez, le cas échéant,

votre antiautobiographie. Le décorateur hexagonal idéal serait un antidécorateur qui créerait
un antifauteuil à placer dans un antiappartement, ou mieux dans l'antiantichambre d'un
antiappartement. Est-ce à dire qu'un artiste
moderne n'a d'autre issue que l'antiart? Non,
car ce serait tomber dans le « piège de l'immo-
bilisme ». Si vous ne vous sentez pas doué pour
l'antiart, il vous reste la ressource de vous tourner vers le non-art qui, depuis un certain temps,
tend à se substituer à l'antiart dans le mouvement de ce constant devenir qui est l'essence
même de l'hexagonalisme. Cela ne se fera pas
sans résistance, bien sûr; on imagine quels
débats passionnants nous vaudrait une table
ronde où les tenants de l'antiart affronteraient
ceux du non-art, chacun précisant les points
brûlants qui le séparent du camp d'en face.

Et si pourtant, me direz-vous, je ne me
sens pas un tempérament d'antiromancier ou
de non-romancier, mais de romancier tout
court? Dois-je renoncer à la consécration hexagonale? Non plus. L'hexagonal offre plus d'ou-
vertures qu'on ne veut bien lui en prêter. Veillez
simplement à respecter certains impératifs. Que
votre ouvrage dénonce, par exemple, l'« ambiguïté fondamentale » des rapports entre les
êtres. Partout où il y a « ambiguïté fondamentale », il y a hexagonal.

Rien de plus cher que la chanson grise où
le roman « se situe aux confins du rêve et de la
réalité »; vous serez bien près de gagner la
partie lorsqu'on se demandera si les choses se

passent réellement ou se passent dans la tête des personnages, bien que les « personnages » soient à éviter, dans la mesure du possible.

Très recommandé également le « drame de l'échec et de la solitude » : dans ce cas, le personnage central, après avoir cherché en vain une signification à sa vie, finit par partager son « désarroi » avec une de ces partenaires qu'on ne trouve pas sous le pied d'un cheval. Cette partenaire peut être une agrégée homosexuelle, une fille de ferme schizophrène, une nymphomane scandinave, une prostituée philippine ou une droguée eurasienne de Greenwich-village. Cette liste n'est pas exhaustive, mais donne une idée du type des partenaires avec lesquelles un héros de roman hexagonal peut partager son désarroi.

Si vous n'avez rien à dire et trois cents pages à écrire, votre œuvre sera une « expérience d'ordre langagier »; il sera bon qu'on parle à son propos de « démarche saussurienne » et vous compterez parmi les champions d'une littérature qui affirme « l'autonomie du langage par rapport aux choses ».

Quoi qu'il en soit, il est indispensable que, sous une forme ou sous une autre, votre ouvrage contribue à « saper les fondements de la société bourgeoise ».

Gardez comme règle que plus le doute planera sur le sens de votre message, plus vous avez de chance d'avoir accédé au chef-d'œuvre, et cela pour une raison bien simple : c'est qu'un chef-d'œuvre est un livre dont on parle beaucoup. Or le doute engendre le lignage. On en jugera par cet extrait d'une notice bibliographique, récemment parue, à propos d'un livre nouveau : « ... une partie de la critique a parlé à son sujet de roman apocalyptique, tandis que d'autres veulent y voir un tableau de la dualité intellectuelle de l'homme moderne, d'autres encore le déroulement rigoureux d'une cérémonie de langage imprécatoire, d'autres enfin la forme romanesque d'une exigence politique radicale : la volonté de rompre avec l'ordre malade sous la contrainte duquel nous vivons. »

L'écrivain à propos duquel on peut se poser tant de questions me semble avoir réussi une prouesse littéraire difficilement surpassable. Et je vous livre sans commentaire la conclusion lumineusement hexagonale du bibliographe : « L'affrontement peut bien rester vertébral, les mots y sont une partie mortelle. » *(Sic.)*

En un mot, que votre œuvre donne moins à penser qu'à parler, et à parler un certain langage qui est précisément celui de la pensée hexagonale.

A titre d'indication, voici, emprunté à une notice bibliographique, un autre extrait révélateur des tendances et des richesses de la littérature hexagonale :

« ... *Tous les personnages de ce livre sont idiots... ils ne disent que des bêtises. Donc : style réaliste... Tout se réduit à 1 et 0 : la machine électronique. Mais 1 et 0 ne sont que la traduction approximative d'un seul, car tous les mots se réduisent à un seul que personne ne connaît.*

Chaque personnage cherche ce mot à sa façon.
Plus qu'un roman, ce sont les bribes d'une
histoire que l'on dirait postérieure à une fabuleuse
explosion. D'où un charme incontestable... »

Il s'agit, j'insiste sur ce point, de textes
publicitaires destinés à inciter des lecteurs
éventuels à acheter les livres en question. On
comprend que tant de gens lisent des romans
policiers. Mais c'est assez dire qu'il existe un
haut degré d'initiation hexagonale auquel il
serait prématuré de prétendre sans des études
très poussées.

Je me contenterai, après lui avoir ouvert
ces horizons, de livrer à l'étudiant en hexagonal
quelques conseils grâce auxquels il pourra
faire une figure honorable dans n'importe quelle
conversation de salon ou de drug, portant sur
les activités culturelles du temps.

Si l'on vient à parler d'un livre, assurez-
vous de sa « découpe ». La découpe est « dia-
chronique », si le livre raconte une histoire qui
comporte un début, un milieu et une fin. Autrement la découpe est synchronique. Il est décon-
seillé de montrer du goût pour un livre dia-
chronique. Parlez à son sujet, avec un dédain
marqué, d' « auteur démiurge ». L'auteur démiurge est le pelé, le tondu de la littérature contemporaine. Préférez à la démarche
démiurge le « verbe sarrautien ». Le verbe sarrautien convient parfaitement à la quête d'une
intériorité profonde ou à un itinéraire intellectuel. Si la quête est désespérée, le héros
finit par trouver sa vérité après un voyage-

au-bout-de..., ou une fuite-devant... (Remplacez le pointillé par le mot adéquat.)

Bien qu'on lui préfère aujourd'hui Michel Foucault ou Lacan, Teilhard de Chardin est encore utilisable dans une conversation philosophico-littéraire, surtout si l'assemblée où vous vous trouvez comporte un nombre important de cover-girls et de starletts. Si le milieu est catholique, vous reprocherez à Teilhard son « terréisme » et son « apostasie par anthropocentrisme ». L'appeler Teilhard tout court.

Placez aussi souvent que possible les mots : distanciation, phénoménologie, concentrationnaire, articulation dialectique, aberrant, responsabilité, thématique, insolite, symbolique (en tant que nom commun), refus, itinéraire, interrogation fondamentale, intrinsèquement et dérision.

L'inaptitude au bonheur est un thème inépuisable.

« Incommunicabilité » a fait son temps : à éviter. Que votre bête noire soit l'humanisme. Dire avec dédain d'un « propos » qu'il « débouche sur un humanisme ». Pourquoi cette méfiance? — *Parce que la culture est un facteur d'intégration sociale et qu'elle n'est pas une théorisation, mais une action concrète.* (Phrase à apprendre par cœur.)

Le mot « festival » doit souvent revenir sur vos lèvres. N'hésitez pas à l'employer à toutes les sauces. (Nous avons vu sur les murs d'une ville de province tout un affichage consacré au « Festival de la poitrine farcie ».)

N'oubliez pas qu'une œuvre doit « déranger »; faites un grand usage du mot « cérémonial », récemment promu, qui désigne une succession d'actions. Le cérémonial peut s'appliquer aussi bien à un mariage qu'aux phases d'un meurtre ou à l'art de culotter une pipe. Devant « érotique », on préférera « rituel » à « cérémonial ». Faites au moins une allusion à l' « espace-temps » et jouez des rapports entre le temps et la durée. Ayez de fréquents recours à l'adjectif « secret » (« humour secret », « auteur secret », « poésie secrète », « itinéraire secret », etc.). Rappelez-vous que le problème noir est un « thème explosif » et placez « kafkaïen » au moins une fois dans la soirée. *Kafkaïen* s'applique à toute situation momentanément inextricable dans un lieu mal balisé. Exemple de situation kafkaïenne : chercher un appartement dans un ensemble immobilier de la banlieue parisienne après vingt-deux heures. Est également kafkaïen, tout endroit où il y a du revêtement plastique, plusieurs couloirs s'entrecroisant et de nombreuses portes toutes pareilles. Tout ce qui est très grand sans être kafkaïen, c'est-à-dire avec prédominance du rocher sur la matière plastique, est « dantesque ». Une séance (cinéma, théâtre, musique) est une session. Si un film vous a ennuyé, parlez de ses « belles images ». Quand un film américain ressemble à un film européen, c'est que son auteur a décinématisé le cinéma américain. Si vous avez à parler d'un film des pays de l'Est, placez le mot « doux-amer ». (Une réflexion douce-amère, une complainte douce-amère, un regard doux-amer... etc.) Le style d'un film est son « écriture filmique ».

Il sera toujours bien vu de faire suivre le mot *camera* du nom d'un instrument pointu ou tranchant : camera-stylo, camera-scalpel, camera-robot, camera-bistouri, etc. De toute façon, vous ne vous intéresserez qu'au cinéma « parallèle ».

Si le film vous a semblé sibyllin ou incohérent, c'est qu'il s'agit d'un symbole ou d'une allégorie. Ne vous affolez pas, les symboles sont en nombre relativement limité.

Ils peuvent exprimer :

1º L'aliénation de l'homme;

2º La révolte contre la société;

3º Une tentative de rachat;

4º Le problème du mal;

5º Une aspiration vers la pureté.

Si le personnage principal meurt lynché ou victime d'une coalition du plus grand nombre, c'est « le poète ».

Pensez toujours qu'un personnage dont les gestes sont lents, la parole monocorde et les cils charbonneux, peut personnifier la Mort. Cherchez également le personnage qui symbolise Dieu.

L'équivalent du cinéma parallèle est le théâtre de réflexion.

Voici quelques généralités à retenir si vous avez à parler théâtre.

Quand le décor du théâtre de réflexion représente un lieu indéterminé sur fond de nuages, vous pouvez dire que la « durée est abolie ». Si on y voit des gens qui parlent longtemps sans aboutir à grand-chose, c'est une interrogation sur l'être.

Si, parmi ces gens, il y a un clochard, c'est une réflexion sur la condition humaine.

Si les femmes portent des fichus sur la tête, c'est une tentative brechtienne.

Si deux êtres mal assortis font l'amour, par exemple un baobab géant et une assistante sociale nue, c'est l'image d'un monde en décomposition.

Il se peut également que les acteurs montrent leur sexe.

Deux cas peuvent alors se présenter.

1º Le sexe est, peut-on dire, en chair et en os : c'est un hymne à la pureté;

2º Le sexe est figuré par un simulacre flatteur en carton ou en matière plastique : c'est

a) un cauchemar érotique,

b) une réflexion panique.

Notez de toute façon que Dieu est mort et que Flaubert eût dit « hénaurme ».

Il est bon, également, d'aller voir son Tchekov annuel, aussi nécessaire que le check-up du même nom.

Parler à son propos d'éclairage intime et prononcer le mot « âme ».

Retenez que « extraordinaire », comme l' « hénaurme » de Flaubert, se prononce avec un « h » aspiré et qu'il est élégant d'élider la préposition « à » avant l'adjectif « autre ». C'est ainsi que vous direz « d'une minute l'au-

tre », ou « d'une maison l'autre », de préférence
à « d'une minute à l'autre » ou « d'une maison
à l'autre ». D'un problème, dites que c'est un
faux problème et d'un sujet un faux bon sujet.
Ne vous précipitez pas tête baissée dans l'anticonformisme. Il a fait son temps. Parlez à son
propos de « conformisme de l'anticonformisme ».
Engagé dans cette direction, il n'est pas inter-
dit de surenchérir. Ainsi, vous vous assurerez
une bonne réputation de subtilité avec des
phrases de ce genre : « Dénoncez le conformisme
de l'anticonformisme devient un conformisme
pire que l'anticonformisme. »

Découvrez votre « pompier » d'honneur :
cultivez une réhabilitation paradoxale en pro-
clamant le génie d'un auteur tombé en désué-
tude, rayé des cadres et unanimement décon-
sidéré. Autrement dit, appliquez à n'importe
quel art l'opération Meissonier entreprise par
Salvador Dali; redécouvrez Hector Malot,
Henri Bataille, Élisée Reclus ou Marcelle Tyn-
naire. Proclamez que *Le Marché persan* est
un chef-d'œuvre et portez Léon Bonnat aux
nues.

Le vocabulaire des arts plastiques est d'une
richesse inépuisable. Le mieux, si vous voulez
parler peinture, sera de vous procurer quelques
revues spécialisées et d'en apprendre par cœur
certains passages. Quelques conseils généraux
pour parer au plus pressé :

En présence d'un tableau, parlez d' « organisation de l'espace » ou mieux encore de la
« spatialité ». Appelez « informel » ce que les

autres appellent « abstrait ». Devant une toile qui vous semblera abstraite, affirmez systématiquement que c'est le contraire de l'abstrait et que c'est même archifiguratif : vous recueillerez l'approbation générale. Si l'œuvre consiste en un ticket de métro collé sur un guidon de bicyclette, l'artiste « détourne les choses de leur signification ». Si l'œuvre représente une serviette de table maculée de jaune d'œuf sur laquelle repose un tube de dentifrice, vous êtes en présence d'une « synthèse ». Enfin, appelez les choses par leur nom; souvenez-vous qu'une sculpture moderne est une « expansion », à moins qu'elle ne soit une « compression ». Si aucun mot ne vous vient à l'esprit, à propos de quelque chose qui comporte des éléments géométriques, vous avez une chance sur deux de tomber juste en parlant de « structures ». Mais ces notions sont élémentaires. L'hexagonal exaspéré de la peinture mérite un chapitre spécial. Nous y reviendrons.

Si vous avez à exprimer des idées dans une feuille imprimée, voici quelques patrons à partir desquels vous pourrez confectionner la plupart de vos titres.

Tous titres dérivés de *Si Versailles m'était conté*, et de *Un tramway nommé Désir*. (Par exemple : *Si Onassis m'était conté*, ou *Un malentendu nommé Marché commun*.)

Également :

Les titres dérivés de *Mon village à l'heure allemande*, de *Fascisme an VII* et du *Degré zéro de l'écriture*. (Exemples : *La Côte-d'Ivoire à l'heure américaine,* ou *Côte-d'Ivoire année zéro,* ou *Degré zéro de l'indépendance.*)

« Votre » suivi d'un adverbe de quatre syllabes ou plus *(Sadiquement vôtre).*

Si vous apportez des éléments nouveaux pour aider à la compréhension d'un problème ou d'un peuple, que votre titre commence par *Clefs pour...* (*Clefs pour la Laponie*) ou qu'il se termine par *Pourquoi?* (*Monsieur Edgar Faure a changé deux fois de coiffeur cette semaine. Pourquoi?*)

Si vous tracez le portrait d'une célébrité, faites précéder le nom de cette célébrité de *Qui êtes-vous, monsieur...* (*Qui êtes-vous, monsieur Picasso?*)

Au cas où cette célébrité serait le fils d'un homme déjà connu, ne manquez pas d'écrire : « Il avait un nom : il lui restait à se faire un prénom. »

Si vous avez à rendre compte d'un film ou d'une émission de télévision dans laquelle apparaît un chien, soulignez malicieusement que ce chien est beaucoup moins cabot que ses partenaires à deux pattes.

Mais nous avons quitté le domaine du langage pour panoramiquer brièvement sur la pensée hexagonale. Revenons à notre « propos » avec ce petit résumé aide-mémoire:

Ne dites pas...	*Mais dites...*
Un roman.	Une création artistique autonome.
Trouver que le monde est mal fait.	Penser le monde en termes d'absurdités.
Perte d'intérêt.	Délaissement.
La vie.	La réalité du vivant.
Au jour le jour.	Dans l'immédiatéité de l'instant.
Un sens caché.	Un au-delà du langage.
Sous l'influence de...	Dans la foulée de...
La règle.	L'éthos.
Révélateur.	Éclairant.
L'idée directrice.	La toile de fond.
Un ensemble de doctrines.	Un syncrétisme.
Un spécialiste de la télévision.	Un téléaste.
Le film.	Le tissu filmique.
C'est une pièce qui comporte du chant et de la danse avec une mise en scène aussi somptueuse que celle des Folies-Bergère.	C'est du théâtre total.

Je me reconnais dans ce livre.	J'ai découvert dans ce livre des références à ma propre mythologie.
Le caractère historique.	L'historicisme.
Le caractère du personnage.	Le statut du sujet.
Des simagrées.	Un jeu psychodramatique.
Avant de se poser la question.	En antécédent à toute problématique.
L'examen de conscience.	L'inventaire.
La perfection.	L'entéléchie.
Le vocabulaire.	Les assises lexicales.
L'atmosphère.	Le climax.
Une analyse.	Une autopsie.
Constamment.	Vingt-quatre heures sur vingt-quatre.
Une belle blonde.	Une blonde à couper le souffle[1].

1. Notez à ce propos que « couper le souffle » est le privilège des blondes. Il n'existe pas d'exemple de brunes à couper le souffle dans la presse écrite et parlée contemporaine.

Une mésentente.	Un dialogue de sourds.
La raison.	La rationalité.
Une façon de voir les choses.	Une cosmologie.
Dont on peut dégager des règles.	Normatif.
Un spectacle dans les milieux populaires.	Une représentation opérationnelle.
Je n'écris pas.	Je suis au stade de l'agraphie.
L'absence voulue de style.	Le non-style.
L'obscurité.	L'opacité.
Une intention politique.	Une dimension sociale.
Une analyse.	Une analyse phénoménologique.
L'engagement.	L'intégration d'une dimension politique à l'intérieur d'une œuvre.
Le réalisme.	L'enracinement dans le concret.
Qui repose sur un principe.	Principiel.

Un cliché.	Un stéréotype.
Un art qui évolue.	Un art mutatif.
Un regard sur quelque chose.	La perception d'un réel brut.
Écrire n'importe quoi.	Précipiter la littérature dans un cul-de-basse-fosse.
Il commercialise son art.	Il fait montre de carriérisme.
Le reste est littérature.	Le reliquat est écriture.

Pour clore utilement ce chapitre, voici un « formuleur automatique » auquel vous pourrez avoir de fréquents recours. Imaginé par un fonctionnaire américain, le formuleur automatique mentionné par le *Reader's Digest* consiste en un dispositif de plusieurs colonnes permettant de créer mécaniquement une phrase passe-partout, en partant d'un nombre pris au hasard, selon le procédé indiqué plus loin. Le formuleur que je vous propose est spécialement établi à l'usage des débutants, afin de leur permettre de conclure une série de considérations d'ordre artistique par une phrase à effet conforme aux structures et à la cadence de la rhétorique hexagonale. Il comporte un verbe, un complément, un adjectif et un complément de nom, à accorder au sujet requis par le thème de la conversation.

	A	B	C	D
1	RÉINTRODUIT	LA THÉMATIQUE	INTERNE	DE NOTRE TEMPS
2	REFUSE	LA DÉMARCHE	UNIVOQUE	D'UNE DIMENSION MYTHIQUE
3	REMET EN QUESTION	LE CÉRÉMONIAL	CONTRADICTOIRE	DE NOTRE CONDITION
4	RÉINVENTE	L'AMBIGUÏTÉ	ONTOLOGIQUE	D'UN MONDE CLOS
5	ACCEPTE	LA DÉRISION	MÉTAPHYSIQUE	DU LANGAGE
6	ASSUME	LE DÉSACCORD	FONDAMENTAL	DE LA SOCIÉTÉ BOURGEOISE
7	ÉCHOUE A	LE DISCOURS	DIALECTIQUE	DE L'INTÉGRATION SOCIALE
8	DÉNONCE	LA PRISE DE CONSCIENCE	SPIRITUEL	DU SUJET SACRO-SAINT
9	AFFIRME	LA SIGNIFICATION	SÉMANTIQUE	DE L'ÊTRE
10	TRANSCENDE	L'INCONFORT	CULPABILISANT	DE LA RATIONALITÉ

MODE D'EMPLOI

Pensez un nombre quelconque de quatre chiffres. Référez-vous alors à vos coordonnées et alignez les mots correspondants. Vous obtenez une formule que vous pouvez appliquer à n'importe qui ou n'importe quoi, dans n'importe quelle conversation sur n'importe quel sujet littéraire, artistique ou philosophique. Il vous suffira d'adapter la phrase ainsi obtenue au sujet de votre choix. C'est ainsi que 5 663 donnera : « ... accepte le désaccord fondamental de notre condition », 7 825 « échoue à la prise de conscience univoque du langage... »

On voit quels services peut rendre le formulateur dont on aura intérêt à établir une copie à conserver sur soi afin de la consulter discrètement le cas échéant.

XIV

L'HEXAGONAL A LA PINACOTHÈQUE

« CE QUI ENTEND le plus de bêtises dans le monde est peut-être un tableau de musée », ont écrit les Goncourt.

C'était peut-être vrai à leur époque.

Mais pas aujourd'hui.

Les temps ont changé.

Aujourd'hui la peinture s'est tellement intellectualisée qu'il n'est pas possible d'entrer dans un musée ou une exposition, sans un bagage de connaissances très poussées en philosophie, en métaphysique, en géométrie, en calcul différentiel, en physique ondulatoire, en médecine, en psychanalyse, en atomistique et en musicologie dodécaphonique. J'en passe certainement. La seule science dont puisse se passer aujourd'hui un amateur de peinture est l'histoire de l'art.

Rectifions donc l'affirmation des Goncourt.

Ce qui entend le plus de choses intelligentes dans le monde actuel est peut-être un tableau de musée.

Entrons dans une galerie devant un tableau où devisent deux admirateurs d'Anton Wimpelschnick, peintre contemporain, conversation à laquelle se mêlera un troisième larron, critique d'art professionnel.

— Par exemple! vous ici.

— Oh! excusez-moi, je ne vous avais pas reconnu. J'étais absorbé dans la contemplation de ce tableau...

— De ce quoi?

— De cette concrétisation d'un faisceau de suggestions volumétriques, plus exactement.

— Je ne vous savais pas admirateur de Wimpelschnick.

— Pour moi c'est le premier. Même Glompsberg que j'admire beaucoup, comme tous ceux de l'École de Rang-du-Fliers-Verton, n'a jamais pu obtenir cette réduction, dans une surface limitée, d'une immanence immatérielle.

— Surtout en instantanéisant les dynamismes du support concret.

— Et tout cela dans l'optique d'une rationalisation quasi syllogique. Regardez comment, dans le contexte wimpelschnickien, les formes se développent selon certaines lois topologiques.

— Et si vous vous mettez de côté, là, à gauche — tenez, prenez ma place, — vous voyez apparaître une puissance de structuration qui, par la recherche du déséquilibre, comme facteur d'une dynamique optée dans la pluralité des déterminations possibles, saura engendrer un espace organique sans sortir de sa logique interne.

— Cette démarche marque d'ailleurs le côté événementiel de cette prestation. Cette fois Wimpelschnick fait appel à un processus créatif radicalement éloigné de son dogme originel.

— Je crois qu'il faut préciser votre pensée en insistant sur le fait que dans ce processus nous assistons à une dépersonnalisation rétroactive de l'œuvre au profit d'une technique objective dont l'anonymat garantit l'universalité.

— Objectale, plutôt qu'objective.

— Ça se discute.

— Ça se discute dans la mesure où cette universalité n'exclut pas une vision prévisionniste qui annonce la création d'unités structurelles.

— Moi, en raison du caractère transcendental du prévisionnisme wimpelschnickien, j'y vois plus un prophétisme planétaire.

— J'écoutais votre conversation, messieurs, et je m'excuse de m'y mêler, mais n'incriminez que l'intérêt que j'y portais. Je suis Sébastien Blouvet.

— ?

— ?

— Le critique pictural de *Polyèdre*.

— Ah! en effet.

— Eh bien, plus encore qu'un prophétisme planétaire, je vois là une tentative cosmique, tout à fait dans la ligne wimpelschickienne qui n'exclut pas le contact des astreintes immédiates, à condition de noter que si c'est une opération étrangère à l'acte d'appropriation elle est rendue étrangère par cette accumulation qui, en multipliant l'objet, modifie la perception qu'on en a.

— Vous avez tout à fait raison de souligner ce point. Car il met en relief le fait que, par un phénomène de saturation optique et sensoriel, l'accumulation fait appel à un procédé qui ne change rien à la trame de l'objet.

— Très juste. Ainsi, par une opération, comment dirais-je...

— Tautologique.

— Merci : je cherchais le mot. Par une opération tautologique qui va en s'accentuant, l'objet reste ce qu'il est, c'est-à-dire un des éléments dans la généralité de cette mutation, et c'est bien à une réanimation du rôle de l'image que nous assistons, en ce sens que, soumettant le matériau choisi à une ascèse expressive, Wimpelschnick le reconvertit en registres sensibles ordonnés selon une héraldique austère alors que, chez Glompsberg à qui on peut le comparer, la couleur-événement refuse de se fixer, car il existe une sémantique commune du chromatisme lié aux conditions psychotiques des hommes.

— Vous me l'enlevez de la bouche. J'allais justement dire qu'en intensifiant les processus d'intégration vécus à travers l'historicité du créateur dans la position dépressive, nous re-

trouvons une prévalence paranoïde de l'angoisse
et un recours schizoïde au clivage, à travers
les pulsions réparatrices développées pour
reconstituer les objets qui sont le fondement de
la créativité.

— Cela revient à ce que je disais : que cet
espace absolu est enclavé dans un couplet
d'éléments antagonistes.

— Non, car la symbolisation des fulgu-
rances est transposée par le geste qui accumule
la somme des significations d'une expérience
vécue.

— Qui les concentre plutôt qu'il ne les
accumule... Parce qu'en les concentrant il
s'efforce de pondérer la violence de ses énergies
par le traitement de cette large surface énergé-
tique dans laquelle les éléments se désagrègent
au profit du discours d'ensemble, si bien que
tout se joue dans les interférences entre une
sorte de grille chromatique et les stoppages
étalons qui canalisent les lignes de force et
établissent une relation avec l'espace et la dis-
tribution de la couleur...

— Il fallait bien que quelqu'un démystifie
les témoins matériels de nos mythologies
obsessionnelles en les intégrant dans des dispositifs de réflexions fondés sur les propriétés
orphiques de la transchromie.

— Et Wimpelschnick était le seul à pouvoir tenter cette aventure picturale en évitant
— par le procédé des environnements qui per-
mettent des relations modifiées du spectateur-
acteur — l'emploi d'un procédé en circuit fermé

qui crée à l'inverse une structure ouverte.

— La seule réserve que je me permettrais, c'est que, même si le préalable conceptuel est destiné à un rôle de plus en plus grand dans la dynamique de sa création, le mythe personnel de Wimpelschnick risque de s'effriter dans la mesure où positivement l'appareil conceptuel était faible pour lui.

— Que voulez-vous, tout le monde ne peut pas être parfait.

(Une voix au loin.)

— Les critiques sont des c..., les amateurs d'art sont des c..., les directeurs de galeries sont des c..., tous les gens sont des c....

— Ah bien, tenez, voici Wimpelschnick...

— Qu'il est amusant!

— Quelle verve!

— Quelle drôlerie! Et ses propos confirment la cohésion de sa démarche tout entière axée sur une remise en question des valeurs établies.

— On en revient toujours là...

— Ainsi qu'à la proposition monochrome.

— Mais ceci est une autre histoire, comme dirait Kisling.

— Non : Kipling.

— Vous êtes sûr? »

XV

AUTOPSIE D'UNE FONCTION CONATIVE AYANT VALEUR D'EXEMPLARITÉ

(En français : Analyse d'un texte servant d'exemple.)

J'AVAIS CLASSÉ quelques fragments de livres ou d'articles de journaux destinés à illustrer cet ouvrage, mais l'un d'entre eux s'est échappé de son dossier.

Le voici :

« *L'espace grammatical n'est pas compris comme actualisation maladroite d'une grammaire pure, cachée dans le lointain horizon de l'idéalité.* »

Me voilà maintenant bien embarrassé pour le remettre à sa place. Où le reclasser? Littérature, cinéma, musique, peinture? Je l'ignore. Avec l'hexagonal, le vocabulaire de toutes les disciplines se trouve confondu. On vous parle de grammaire à propos de cinéma, de contrepoint à propos de peinture, de recherches langagières à propos de musique, et les auteurs de livres vous expliquent que leurs romans sont conçus comme des sonates ou des symphonies. Sans compter les recherches de *volume* sonore ou de *couleur* musicale, les *montages* littéraires, les *pléonasmes* et les *métonymies* cinématographiques. La liste est longue et « l'*espace grammatical* » de cet extrait, condensation d'une notion picturale et d'une notion littéraire, est un exemple de ce confusionnisme.

L'hexagonal contribue ainsi à la promotion d'une grande nouveauté : la critique *absolue*. C'est-à-dire que l'hexagonal est le seul langage où l'on ait la possibilité d'établir un texte de critique standard qui puisse s'appliquer à cinq ou six œuvres totalement différentes.

Supposons le devoir suivant donné à un élève d'hexagonal :

« Écrivez en hexagonal un texte pouvant servir de commentaire, à la fois à *La Joconde*, à *La Dame aux Camélias*, à *Papillon*, à *La Madelon*, et à la célèbre *Étude nº 3 opus* 10, de Chopin, plus connue sous le sobriquet de *Tristesse*. » J'ai choisi, à dessein, on le voit, des œuvres consacrées, pour ne pas dire classiques.

Le texte destiné à servir d'exemple et qu'on lira ci-dessous, a été constitué à l'aide d'éléments glanés dans différentes revues, journaux et ouvrages spécialisés. C'est en quelque sorte un portrait robot de la critique hexagonale. Nous l'éclairerons à l'aide d'une traduction juxtalinéaire. Cette traduction sera approximative. En principe, la critique hexagonale, comme la poésie pure, devrait s'en passer. Essayer de comprendre est un souci vulgaire et dépassé. Son inutilité a été affirmée avec une désinvolture de grand seigneur par un des auteurs les plus illustres de notre temps. On répétait une pièce de Paul Claudel sous la direction de Jean-Louis Barrault, *Le Soulier de satin,* je crois. Un acteur tombe soudain en arrêt devant un passage obscur.

« Il y a là un passage que je ne saisis pas très bien...

— Lequel ? » lui demande Jean-Louis Barrault.

L'acteur le lui indique. Barrault le lit, réfléchit, ne trouve pas, se gratte la tête, et se tourne vers l'écrivain :

« Eh bien, justement, nous avons la chance, aujourd'hui, d'avoir l'auteur présent à la répétition. Nul ne sera plus qualifié que vous, maître, pour nous donner le sens exact de cette phrase... »

Claudel prend alors le texte, lit plusieurs fois le passage en question, puis le rend à Jean-Louis Barrault, se contentant de bougonner entre ses dents :

« Oui... oh... ben, j'ai dû savoir ce que ça voulait dire le jour où je l'ai écrit... Ça ne fait rien. Continuez. » Et la répétition continua.

Non que Claudel parlât hexagonal.

Mais il avait donné dans cette simple réponse une des clefs, si l'on peut dire, de l'obscurité littéraire : dans le poétique comme dans le militaire, ne pas chercher à comprendre. Dans le vocabulaire de la rhétorique, et particulièrement de l'esthétique hexagonale, encore moins.

La traduction accompagnée de commentaires qui suit le texte ne sera donc donnée ici que dans un dessein didactique et parce qu'il s'agit d'un ouvrage d'initiation.

Cela dit, voyons comment pourrait se présenter la copie d'un étudiant en hexagonal appelé à commenter à l'aide d'un texte standard *La Dame aux Camélias, La Madelon, Papillon, La Joconde,* et l'*Étude nº 3 opus* 10. (Le même texte, bien sûr, pourrait aussi bien s'appliquer à *Cyrano de Bergerac,* au *Clairon* de P. Déroulède, à *Riquita,* à un mobile de Calder, à *La Grande Vadrouille* ou aux *Aventures d'Astérix.*)

DEVOIR

Normative et catalytique, cette fixation de virtualités est l'essence d'une ascèse qui repose sur le postulat d'une démarche compositionnelle débouchant sur la séparation d'un espace et d'un temps multidimensionnels organisés selon les principes d'une polyphonie complexe, une portée signifiante, un volume en expansion constante, une perspective langagière mass-médiatique sur les restes du gutenbergisme, une scénographie d'un temps linéaire faussement dialectique laissant sa liberté totale au langage pour lui permettre de signifier infiniment plus qu'on ne lui permet de signifier d'habitude.

Le temps et la durée étant promus au rang de structures, l'œuvre en extension a trouvé son étendue en laissant place à une problématique

qui peut se résoudre dans la solution de l'interrogation fondamentale en face de toute résultante d'une dynamique conceptuelle : le temps
est-il le temps putatif de l'exécution ou le
temps du processus de créativité?

Au niveau du sujet dans son contexte
situationnel adjuvant-opposant par l'effet d'un
non-penser fondamental qui n'exclut pas une
dialectique en continuelle invention d'elle-
même, on mesure le degré de sa perméabilité
à des valeurs extérieures et on pèse la force
de sa cohésion interne reposant sur des implications et des effets transformatifs dont les
éléments moteurs sont liés par des signes dynamiques de corrélation et d'intégration à partir
d'un contexte de phrases réitatives incluses
dans un système de commutation générateur
de propédeutique.

On cherche le signifiant de cette convergence de référents alors qu'elle postule essentiellement son absence. C'est plutôt au réel de
s'informer à elle, parce que la température où
l'œuvre d'art cristallisée acquiert sa cohésion
essentielle, a été ici réalisée.

Mythe, elle se trouve militer pour l'expérience d'une transcendance. Partant d'un thème
libérateur, toute une maïeutique où se syncré-
tisent l'hallucinatoire et le perçu, il obtient
par un effet cathartique et fantastique qui
ne tient pas à l'agencement syntagmatique mais
au choix paradigmatique transcendant, le contrepoint symbolique qui annule à la fois le
temps et l'espace et recrée une organisation

cosmique dans laquelle se dissout le principe
d'individuation.

Cette remontée se situe dans le vécu du
donné et dans la réalité comme connaissance.

Mais ce qui ressort de l'itinéraire intérieur
de la nature mythique fait partie d'un projet
qui la dépasse résolument. L'incertitude de
la renaissance future transforme l'anéantissement en un appel à une vie originelle, déconnectée de tout écart différentiel.

TRADUCTION

Normative et catalytique, cette fixation de virtualités.	Cette œuvre modèle et qui retient la pensée de ses admirateurs en les invitant à réfléchir
est l'essence d'une ascèse	a demandé beaucoup de travail
qui repose sur le postulat d'une démarche compositionnelle	à son auteur
débouchant sur la séparation d'un espace et d'un temps multi-dimensionnels	et se compose de beaucoup d'éléments
organisés selon les principes d'une polyphonie complexe,	bien harmonisés,

une portée signifiante

un volume en expansion constante,

une perspective langagière mass-médiatique sur les restes du gutenbergisme

une scénographie d'un temps linéraire faussement dialectique

laissant sa liberté totale au langage pour lui permettre de signifier infiniment plus qu'on ne lui permet de signifier d'habitude.

clairs,

présentant un intérêt soutenu,

accessibles aux masses en raison des immenses moyens de diffusion de notre époque,

très publique et facile à suivre,

et plus on la regarde (on l'écoute, on la lit), plus on trouve que c'est beau.

Remarques sur cette première séquence

A noter l'accumulation des mots empruntés à des arts différents : polyphonie, langage, volume, scénographie, *etc. Cela dans le dessein de marquer dès les premières lignes le caractère polyvalent (en hexagonal, syncrétique) d'un texte critique également applicable à la musique, à la littérature, à la peinture, au théâtre, etc. Notez également l'allusion à l'espace, et au temps. L'espace et le temps sont les deux mamelles de l'art de parler pour ne rien dire. Ne craignez pas de matraquer. Nous en remettons dans la séquence suivante pour vous en donner l'habitude.*

Le temps et la durée étant promus au rang de structures, l'œuvre en extension a trouvé son étendue en

laissant place à une problématique qui peut se résoudre dans la solution de l'interrogation fondamentale en face de toute résultante d'une dynamique conceptuelle.

Le temps est-il le temps putatif de l'exécution ou le temps du processus de créativité? Au niveau du sujet dans son contexte situationnel adjuvant-opposant, par l'effet d'un non-penser fondamental qui n'exclut pas une dialectique en continuelle invention d'elle-même,

on mesure le degré de sa personnalité à des valeurs extérieures et on pèse la force de sa cohésion interne

C'est une œuvre facile à suivre,
N.B. Ne craignez pas les redites quand vous n'avez rien à dire.

et on se pose la question qu'on se pose en face de toute création.

Est-ce que l'auteur a fait beaucoup de brouillons?

Parlons maintenant du personnage principal...

Ce n'est pas une lumière mais il lui arrive

de se poser des questions.

Il (elle) est attentif (ve) à ce qui se passe autour de lui (d'elle) mais cela ne l'empêche pas de conserver sa personnalité.

reposant sur des impli-
cations et des effets
transformatifs dont les
éléments moteurs sont
liés par des signes
dynamiques de corré-
lation et d'intégration

à partir de phrases réi-
tatives incluses dans
un système de commu-
tation générateur de
propédeutique.

Personnalité qui évo-
lue en raison de son
ouverture au monde
mais qui reste malgré
tout fidèle à elle-
même.

Et même si (elle) il se
répète un peu, l'étude
de son cas est instruc-
tive.

Remarques sur la deuxième séquence

« *Ce n'est pas une lumière, etc. —* »
*Papillon, sans aucune formation littéraire,
a pu, grâce à son expérience du monde, écrire un
livre à succès indéniable. Appliquons maintenant ce passage à* La Madelon : « *Elle rit, c'est
tout le mal qu'elle sait faire.* »
*Fille de salle qui sert à boire sous les ton-
nelles, son entregent lui vaut une réputation qui
déborde le cadre de ses activités.*
La Joconde : *que son sourire soit un peu
niais, c'est indiscutable; il serait néanmoins
injuste de lui dénier une certaine personnalité,
son curriculum vitae en témoigne.*
*Marguerite Gautier tranche sur le lot des
filles entretenues de son époque.*

Reste le cas de Tristesse. *Le processus inter-
prétatif en ce qui concerne l'analyse d'une œuvre
musicale est tout différent. Voici celle qu'on
peut proposer :* Tristesse *est une œuvre, devenue
rengaine, qu'on écoute sans penser à rien. (Par
l'effet d'un non-penser fondamental.) Elle s'adapte
aux rythmes de son époque et peut être indifférem-
ment valse ou tango (en continuelle invention
d'elle-même), mais si le rythme change, la mélo-
die reste immuable (cohésion interne reposant
sur des effets transformatifs, etc.), le thème (ou
chorus) très populaire fait l'objet de nombreuses
reprises (à partir de phrases réitatives) et cette
œuvre universelle trouve sa place aussi bien dans
les dancings populaires que devant les jeunesses
musicales (incluses dans un système de commutation générateur de propédeutique).*

*La multiplicité de ces interprétations et leur
validité permettront d'apprécier le caractère uni-
versel de la critique hexagonale, proche du langage absolu, à laquelle on peut tout faire dire.
Poursuivons.*

On cherche le signi-
fiant de cette conver-
gence de référents,
alors qu'elle postule
essentiellement son
absence.

De toute façon, on au-
rait tort de se creuser
la tête pour trouver à
dire du nouveau sur
ces morceaux de bra-
voure consacrés.

C'est plutôt au réel de
s'informer à elle,

Ils sont devenus des
prototypes univer-
sels...

parce que la tempéra-
ture où l'œuvre d'art
cristallisée acquiert sa
cohésion essentielle a
été ici réalisée.

parfaits.

Notez l'emprunt typiquement hexagonal au vocabulaire de la science. L'étudiant désireux d'accéder à la critique d'art aura intérêt à se munir d'un aide-mémoire du baccalauréat, programme de physique et de chimie, auquel il n'hésitera pas à faire de larges emprunts afin de truffer ses textes de mots scientifiques. Deux ou trois mots par page constituent une moyenne qu'aucun consommateur d'hexagonal ne jugera excessive.

Mythe, elle se trouve
militer pour l'expé-
rience d'une transcen-
dance.

Les personnages deve-
nus presque banals à
force d'être légendaires
valent beaucoup mieux
que leur réputation.
Par exemple le demi-
sourire inexpressif
qu'arbore *La Joconde*
pour se donner une
contenance, est, peut-
être, une façon de ca-
cher une vie intérieure
dont elle tient à garder
le secret. (« Cause tou-
jours, semble-t-elle

dire, moi j'en sais long mais je ne dirai que ce que j'ai décidé de dire. »)

Marguerite Gautier n'est pas qu'une vulgaire femme entretenue (c'est une putain au grand cœur et elle a su le montrer).

Les tribulations de Papillon, cheval de retour des pénitenciers et coqueluche des salons, ont une valeur d'exemple.

Madelon ne se contente pas de se faire peloter par les gradés en servant le schnaps maison. Elle est le symbole de la patrie.

Tristesse est une rengaine universelle un peu dépassée aujourd'hui, mais il n'empêche que Chopin durera plus longtemps que Dutronc, etc.

Partant d'un thème libérateur, toute une

Cette œuvre qui paraît simpliste au premier

maïeutique où se syn-
crétisent l'hallucina-
toire et le perçu...

abord, est un trem-
plin pour le rêve... *(La
Madelon* galvanise le
moral des troupes, *La
Joconde* est, depuis
qu'elle existe, un mi-
roir aux alouettes pour
dingues de tout aca-
bit, quand vous dan-
sez *Tristesse* en tango,
dans une ambiance cli-
matisée, sous la boule
à facettes, ça met drô-
lement votre partenai-
re en condition, etc.

il obtient par un effet
cathartique et fantas-
tique

Elle est en même
temps d'une haute
portée morale et fait
travailler l'imagina-
tion

qui ne tient pas à
l'agencement syntag-
matique mais au choix
paradigmatique

à cause des associa-
tions d'idées que pro-
voquent certains mots
(ou certaines images,
ou certains sons),

... transcendant le con-
trepoint symbolique
qui annule à la fois le
temps et l'espace et re-
crée une organisation

ce qui lui assure une
large diffusion, les
chances d'atteindre la
postérité, même si par-
fois on bâille ou si on

cosmique dans laquelle se dissout le processus d'individuation.

pense à autre chose.

Passage important en raison de la présence de deux termes (« syntagmatique » et « paradigmatique ») empruntés au structuralisme, philosophie dans le vent, et qui en dégage beaucoup).

Le succès foudroyant du structuralisme à l'intérieur de l'Hexagone est dû à un apport considérable de mots ronflants et obscurs qui ont donné un second souffle à l'hexagonal et ont enrichi spectaculairement un vocabulaire dont les sources sociologiques, métaphysiques, psychanalytiques, marxistes, scientifiques, existentialistes et autres commençaient à se tarir. Il est indispensable que l'étudiant en hexagonal ait à sa disposition un certain nombre de termes structuralistes dont il n'hésitera pas à faire un usage massif et intempérant. En voici quelques-uns parmi les plus répandus (en attendant la publication d'un manuel de structuralisme basique) : actant, commutation, fonction conative, connotation, décodage, dénotation, diachronie, équipolent, idiolecte, indiciel, méta-langage, phonème, prédicat, référend, sémantique, sémiologie, sérial, signifiant, structural (qu'il ne faut pas confondre avec structurel), substitutif, synchronie, translatif.

Se munir d'un lexique pour une utilisation judicieuse.

Cette remontée se situe dans le vécu du donné et dans la réalité comme connaissance.

Mais ce qui ressort de l'itinéraire intérieur de la nature mythique fait partie d'un projet qui la dépasse résolulument.
L'incertitude de la renaissance future transforme l'anéantissement en un appel à une vie originelle, déconnectée de tout écart différentiel.

Tout cela parce que le sujet ou les personnages ont été empruntés au monde réel (l'*Étude n°* 3 *opus* 10 a bien été inspirée par quelqu'un! Si ce n'est George Sand, c'est donc sa sœur).

Mais au fond, tous ces gens auraient peut-être préféré à leur destinée exceptionnelle la paix et la tranquillité.

Nous espérons que cet exemple et son « autopsie » auront apporté à l'étudiant en hexagonal quelques clartés nouvelles sur l'art de gonfler le vide.

XVI

LE PARFAIT SECRÉTAIRE

ON TROUVE dans ce chapitre quelques modèles de lettres en langue hexagonale.

L'étudiant a déjà pris connaissance au cours des chapitres précédents de la plupart des mots qui sont utilisés dans cette correspondance, et nous le supposons assez familiarisé maintenant avec l'hexagonal pour aborder ces textes sans le secours d'une traduction.

Nous nous sommes contentés d'y adjoindre des annotations pour lui faciliter les passages difficiles et lui donner la traduction de quelques mots nouveaux.

Lettre à des jeunes fiancés pour leur adresser des félicitations.

Mes chers enfants,
J'ai appris par médium froid[1] que vous avez l'intention d'ériger en absolu des valeurs

1. La télévision (dans la terminologie du philosophe *pop* canadien Marshall Mac Luhan).

parentales, en ritualisant vos pulsions d'ordre affectif et sexuel.

Mes attitudes mentales personnelles disposent qu'au plan de la parcelle de tissu lithosphérique où nous perdurons dans l'être [1], il est bon de sacraliser les complaisances somatiques et les attractions psychogènes instinctives en vue d'une organisation spatio-temporelle favorisant la résistance de la conjonction psycho-sexuelle à la pluralité des aliénations.

Je vous souhaite un dépassement continu de votre statut socio-affectif actuel vous préservant des dégradations de l'entropie, génératrice d'exogamie, inhérente au contexte marital.

Votre dévoué,

X...

Lettre de condoléances d'un correspondant (ou destinateur) qui, au cours d'un voyage de détente, a appris par la presse et la radio le décès du père d'un ami, et ne pourra malheureusement assister à l'enterrement.

Cher Ami,

J'ai été surtraumatisé en apprenant par les canaux mass-médiatiques usuels, au cours d'un décrochage, l'élimination biologique de votre géniteur au CHU de L..., aucun calcul prospectif n'impliquant la précognition de la

---

1. Sur le coin de terre où nous vivons.

détérioration de son statut transitoire de valétudinaire.

Imaginez mes désordres neuro-végétatifs consécutivement à ce stress.

Hélas! je n'ai pas la possibilité de participer à votre psychodrame social en assistant au happening mythique de la translation de votre cher liquidé.

Les lignes de force de mes pulsions affectives conscientes militent en faveur de l'espoir que vous réagirez par un syndrome général d'adaptation à cette scission de votre groupe familial et que, surmontant les dérèglements végétatifs perturbants consécutifs à de telles frustrations, vous accepterez d'une psyché ambiequale le concept archaïque d'une finitude et d'un passage du faire à l'être, inscrits dans notre schéma existentiel.

Votre... D.

Lettre au percepteur pour lui demander un nouveau délai, à la suite de petites difficultés passagères.

Monsieur le Trésorier principal,

Un passage à vide, dû à une variation cyclique agissant sur ma conjoncture personnelle, ayant motivé une récession dans le cadre de l'équation de mon indice de rentabilité, me met dans l'impossibilité de vous assurer le quorum qui avait fait l'objet d'un préalable entre nous à la suite d'une planification plus

prévisionnelle que normative. Espérant que
cette impasse qui vous met provisoirement en
présence d'une fourchette se résoudra à l'intérieur d'une contracture notable de notre continuum temporel[1], je vous demanderai de bien
vouloir me concéder un statut transitoirement
préférentiel en m'accordant des mesures dila-
toires éventuellement prorogeables au terme
desquelles il me sera loisible d'impartir mes
vacations moratoriées dans le cadre de nos
options de départ.

Je délivre corrélativement une ampliation de cette notification[2] à Monsieur l'Ins-
pecteur des Contributions directes.

Comptant sur l'immédiatéité de votre cor-
respondancier à vous communiquer ces stipulations, je vous prie d'agréer, Monsieur le
Trésorier principal, en attendant de récep-
tionner votre plate-forme, l'expression de mes
sentiments distingués et de mon dévouement
le plus indéfectible.

V...

N.B. Soulignons, à propos de cette lettre,
l'importance de la formule de politesse et de
ses nuances dans l'histoire des rapports sociaux
en France. C'est vers le milieu du XIXe siècle
— à l'apogée de la puissance de la bourgeoisie —
qu'apparaît l'increvable : « Veuillez agréer,

---

1. Dans un délai assez court.
2. J'envoie en même temps un double de cette
lettre.

Monsieur, l'expression de mes sentiments distingués ».

L'histoire n'a pas retenu le nom du génial
auteur de cette formule cérémonieuse, lyrique
et redondante, si conforme à la mentalité pré-
hexagonale qu'elle fut adoptée d'emblée par
l'unanimité des Français, n'a pas évolué depuis
plus de cent ans et continue à rayonner à
« l'ère de l'ordinateur ».

Il y a là une injustice à réparer.

L'auteur de « Veuillez agréer, etc. » (dont
l'œuvre appartient au patrimoine national au
même titre que les vers de Paul Valéry au
fronton du Palais de Chaillot ou que « Défense
d'afficher, loi du 29 juillet 1881 ») mérite une
réhabilitation.

*Faire-part de la naissance et du baptême du
petit Patrick Gouillichoux.*

Le petit Patrick Gouillichoux, quittant
la condition fœtale, a commencé à transcender
hier le déchirement entre le désir de régresser
au sein maternel et le désir d'accéder à une
conscience autonome en assurant sa propre
créativité.

Il se déclarera prêt à affronter les altérités
mutilantes de l'environnement au cours du cérémonial cathartique qui se déroulera le... en le
complexe paroissial de... dans la perspective
de dépollution du ça, sous le signe du pro-
toxyde d'hydrogène et du chlorure de sodium.

Lettre d'un industriel à un client pour l'inciter à modifier les termes d'un contrat rendu caduc par suite de l'augmentation du prix de revient.

Monsieur,

J'ai bien réceptionné votre estimée du ... et tiens à vous signifier en préambulatoire que je me trouve devant l'inévitabilité de procéder rétroactivement à la contre-passation des écritures afin de proportionnaliser mes exigibilités à la conjoncture.

Il devient en effet impératif que je fasse évoluer la clause contractuelle fixant nos stipulations réciproques afin de faire face au gonflement dû à ma volonté prométhéenne d'assurer la complémentarité des fabrications en fondant ma productivité sur des indexations archaïsées.

Mais en présence du dynamisme concurrentiel de la gradation d'une surchauffe qui était exclue de mes envisagements, d'une fiscalisation génératrice d'impasses et d'un contingent de charges obligatoires échappant à mes vues prospectives, je me trouve en prise directe avec la nécessité d'excelliser les conditionnements pour leur assurer une comparabilité adéquate et une compétitivité fortement coefficientées dans le cadre de l'autofinancement qui conditionne ma productivité, et de reconsidérer la départementalisation de mes imputabilités et l'ordonnancement de mes prestations.

Dans l'espoir que nous trouverons un terrain positif à nos tractations ultérieures, je vous prie d'agréer, Monsieur, etc.

Lettre pour adresser une déclaration d'amour.

Madame,

Vous avez mis en train les mécanismes physiologiques destinés à assurer la reproduction de l'espèce et le mouvement de ma libido s'opère du sujet à l'objet, assemblant les éléments de synthèse individualisés qui assurent la cohésion intérieure de l'être, en vue de polariser les besoins pulsionnels spécifiques à la fonction intégratrice du moi.

Des couches les plus profondes de mon inconscient, Madame, je projette sur vous l'image de l'archétype féminin qui précède mes relations avec vous et aspire à surmonter, par une conjonction intime résultante de mon électivité amoureuse, le traumatisme fondamental de la naissance.

Par le biais du coït ainsi envisagé qui répétera la fusion originelle de la mère et de l'enfant et me permettra d'accomplir en vous une transcendance, tandis que vous m'entraînerez dans la nuit de l'immanence, se cristalliserait alors, sous la forme hédonistique le plus bénéfique, une constellation de concrétisations euphorisantes assurant conjointement, dans l'éventualité d'une responsicité de votre sensibilité exteroceptive, la réalisation plénière de nos potentialités génitales réciproques.

Je baise ce papier, et vous prie de croire, etc.

Lettre de rupture d'un hexagonalien au cœur sec.

Chère amie,

La réactivation des contenus inconscients due aux variations cycliques des structures de ma psyché, m'oblige à reconsidérer notre statut psychosexuel réciproque et à procéder à un désengagement logico-expérimental, en préalable à une détérioration virtuelle consécutive à une durabilité excédentaire de nos relations.

Sans doute l'immédiatéité de cette fonction conative [1] t'agressera-t-elle, mais mon idiolecte [2] t'est usuel et tu connais ma propension à la litote [3]. Tu sais combien les lexèmes [4] et les unités de communication [5] minimisent les commutations de mes agencements dans un contexte systématiquement déculpabilisant.

Je le reconnais, l'essentiel de ma démarche est de te signifier la ligne de partage opposant un groupe de corps étrangers scindés par une dichotomie de sang.

1. La brutalité de ce message.
2. Mes habitudes de langage.
3. Sobriété du langage.
4. Mots.
5. Le contenu de mes phrases (approximativement).

Je te ferai expéditionner sous un conditionnement de choix le contenu archivistique
exhaustif [1] de nos échanges correspondanciers...
Je penserai toujours à toi...

Ton M...

*Réponse d'un hexagonalien passionné à une
lettre de rupture.*
*(On reconnaît les signes de la passion à
l'abondance des points d'exclamation, assez rares
dans la pratique de l'hexagonal courant.)*

Chérie,
La carence affective consécutive à ta déses-
calade a complètement perturbé les connexions
qui régissent les cantons de mon champ per-
ceptif!
Je suis en état de déréliction, plongé dans
un autisme [2] frisant la prostration schizoïde!
Je me sens devenir oligophrène tel un
clupéïdé [3].
Je suis comme frappé d'aphasie, de dys-
graphie, de dyslalie, de dyslexie [4], de *dys* tout
ce qu'on peut imaginer.
Mes normes sont désintégrées. Je suis
coupé de mes instincts nutritionnels. Je suis

1. Je t'enverrai toutes nos lettres dans un joli
coffre.
2. Repliement sur soi.
3. C... comme un hareng.
4. Je n'arrive pas à rassembler mes phrases. Je
ne sais plus ni écrire ni parler.

au bord de l'anomie[1]. Je mémorise nos eupa-
reunies[2] en tentant de provoquer des résur-
gences de nos reviviscences.

Je me réfugie dans l'audiovisuel.

Je passe des journées devant la machine
parlante à auditionner sur notre plaque la
belle prestation de « Dysphorie[3] » de Chopin
qui objectivait si bien nos esthétismes respectifs!

Hier, j'entends le vibreur du téléphone.
Je saisis mon combiné. C'était une erreur de
coordonnées. Ah! si tu avais pu effectuer un
constat de mon hyperpnée.

J'ai atteint le degré zéro de l'arriération!
Je retourne au stade prélogique! Une reconsi-
dération de ton comportement fugueur peut
seule me lobotomiser[4]!

Une prescience subliminale me dit que la
ligne de rupture entre deux configurations au-
delà de laquelle se situe le point de non-retour
n'est pas transgressée!

Est-ce un affect aberrant?

Opère une régression. Sois coopérative!
Oublie tes motivations. Mets fin à ma névrose
obsessionnelle frustrante! Je suis réifié[5] dans
le sens d'une oblativité qui, j'en suis sûr,

1. Tendance au suicide.
2. Bons moments.
3. Tristesse (voir chapitre xv : autopsie d'une
fonction conative ayant valeur d'exemplarité).
4. Calmer.
5. Je suis ta chose extrêmement soumise.

entraînera de ta part une responsivité dans le contexte sado-masochiste propice à l'accomplissement de notre complémentarité.

Crois à ma fixation [1].

Ton biquet.

Lettre d'un homme d'un certain âge renvoyé du poste qu'il occupait, pour demander un emploi dans une branche différente.

Monsieur,

Les opposés de ma psyché ne parvenant plus à coopérer en vue d'un acte coordonné par suite d'une succession de dégradations dans mon habitus, je me vois dans l'obligation d'entreprendre un recyclage parcellaire dans le schéma institutionnel de l'Hexagone, où la transférabilité des aptitudes, non encore conditionnée par les données de l'ergonomie [2], reste, hélas! irrationnelle.

Je ne voudrais pas que vous interprétassiez cette prise de position contestataire comme une démarche situationiste [3], au contraire.

Mais vous me semblez spécifiquement missionné, par votre positionnement socio-professionnel, pour assumer l'envisagement de ma

1. Amour.
2. Ensemble des méthodes visant à adapter le travail à un homme.
3. Une protestation de jeune homme en colère.

désaliénation ainsi que de ma réinsertion, et c'est pourquoi je vous soumissionne mon cas, dans l'hypothèse de votre possibilité de vêtir en ma faveur un poste vacant.

La prise de conscience de mon schéma corporel personnel étant lacunaire, j'accuse une propension à l'apraxie[1], mais il s'est avéré que mon quotient intellectuel, confirmé par les apports de la docimologie[2] en vigueur, à la suite de contrôles des connaissances échelonnées, est fortement coefficienté et mon épistémologie génétique, susceptible de relance[3], pourrait faire de moi, non seulement un apporteur de travail mais aussi un élément générateur de productivité instructionné, à indice personnel de rentabilité. Les tableaux de pondération des divers niveaux dans les critères considérés en font foi.

En espérant que vous voudrez bien professionnaliser ces potentiels, en procédant à ma réintégration dans le circuit socio-professionnel, je vous prie d'agréer, Monsieur...

1. Étant assez maladroit, je suis inapte au travail manuel.
2. Science des examens.
3. Mes connaissances pouvant être améliorées.

Deux suggestions pour la traduction hexagonale des textes typiques de cartes postales de vacances; soit :

1. « Beau pays, temps superbe, bons baisers. »
2. « Pensons à vous, hélas! bientôt la rentrée. Bien à vous. »
1. « Masse géo-historique irradiante, conjoncture météorologique optimale, stimulations buccales sélectionnées. »
2. «Phantasme omniprésent, objectivé par sollicitations de l'hypothalamus, hélas! réinsertion sociale imminente. Oblativement. »

Lettre d'un cuisinier structuraliste à un charcutier saussurien pour parler métier.

Cher vieux,

L'ambiguïté du rôti étant intrinsèque, celle du fumé et du bouilli est extrinsèque, puisqu'elle ne tient pas aux choses mêmes, mais à la façon dont on se conduit envers elles. La transformation du fumé en être naturel ne résulte donc pas de l'inexistence du boucan comme instrument culturel, mais de sa destruction volontaire. Par conséquent, quand la structure se transforme et se complète pour surmonter un déséquilibre, ce n'est jamais qu'au prix d'un nouveau déséquilibre qui se manifeste sur un autre plan. Le fumé et le bouilli s'opposent par la place relative plus ou moins importante de l'élément air : et le rôti et le bouilli, par la présence ou l'absence de l'eau. La frontière entre la nature et la culture qu'on imaginera parallèle soit à l'axe de l'air, soit à celui de l'eau, met, quant aux moyens, le rôti et le fumé du côté de la nature, le bouilli du côté de la culture, ou, quant aux résultats, le fumé du côté de la culture, le rôti et le bouilli du côté de la nature.

J'espère que tu ne m'en voudras pas d'être aussi catégorique, et que ta femme et tes enfants se portent bien.

Bien à toi,
G...

Il est juste à propos de cette dernière lettre d'avouer une tricherie volontaire.

Le texte qui la constitue n'est pas inventé mais authentique. Il est extrait d'un ouvrage structuraliste. Si je me trouve dans l'impossibilité d'en donner une traduction, ce n'est pas le structuralisme qui est en cause, mais ma propre ignorance, car il s'agit d'un langage particulièrement hermétique, que seule une minorité d'initiés, dont je n'ai pas le privilège de faire partie, est en état de comprendre.

Si l'on veut un point de comparaison, on peut dire que le structuralisme, discipline dans le vent, est à l'existentialisme — pourtant déjà trapu — ce que *L'Année dernière à Marienbad* est à un western de John Ford.

Profitons de cette ouverture pour bien préciser un point. Ce n'est pas au langage technique que s'en prend cet ouvrage. Des langages techniques, il en faut. On ne peut enseigner ni la médecine, ni les mathématiques supérieures, ni l'électronique dans la langue de Voltaire ou de Céline. Les techniques nouvelles ont besoin de terminologies nouvelles.

Ce qui nous inquiète, c'est la dégradation affolante de la langue française contaminée par l'abus des mots savants vulgarisés par la cinquième colonne des cuistres en exercice et des officieux inconscients.

Il est temps de lutter contre la pollution hexagonale de l'air.

POUR LA LUTTE CONTRE
LA POLLUTION HEXAGONALE DE L'AIR

« SUIS-JE vraiment idiot? »
C'est la question que se pose l'homme d'aujourd'hui devant la production ahurissante qui l'assaille de toutes parts. Sous cette avalanche quotidienne qui charrie ses détritus de technologie, de sociologie, de psychanalyse, de métaphysique et de structuralisme, noyé dans un pathos dont l'Anglais John Weightman, spécialiste des choses de notre pays, a écrit dans l'*Observer* que « rien n'approchant cette préciosité pédantesque n'a jamais été écrit en français ni dans aucune autre langue », l'homme contemporain est prêt à jeter l'éponge.

Or, il est consolant de voir sa propre imbécillité cautionnée par des esprits d'envergure.

J'accepte volontiers la mienne et je tends une main fraternelle à ceux qui se posent des questions.

Perdu dans le charabia en vogue, vous sentez-vous retranché de la vie intellectuelle de votre temps? Rassurez-vous, je suis des vôtres. Beaucoup d'autres, qui se feraient tuer plutôt que de l'avouer, appartiennent également au monde de ces parias. Il suffit de voir la perplexité du public, un soir de première, lorsqu'on joue dans un théâtre une de ces pièces sibyllines dont l'explication n'a pas encore été donnée par les hebdomadaires qui ont pour mission de vous dire ce qu'il faut penser de ce qu'il faut avoir vu.

Parias, mes frères, j'avoue mon hébétude en présence d'un morceau de bravoure tel que celui-ci :

« Le géno-texte n'est pas une structure, mais il ne saurait être le structurant non plus, puisqu'il n'est pas ce qui forme ni *ce* qui permet à la structure d'être fût-ce en restant censuré. Le géno-texte est le signifiant infini qui ne pourrait « être » un « ce » car il n'est pas un singulier; on le désignerait mieux comme « les signifiants » pluriels et différenciés à l'infini, par rapport auxquels le *signifiant* ici présent, le signifiant de la formule-présente-du-sujet-dit n'est qu'une borne, un lieu-dit, une *accidence* (c'est-à-dire un abord, une approximation qui s'ajoute aux signifiants en abandonnant sa position). Pluralité des *signifiants* dans laquelle — et non pas en dehors de laquelle — le signifiant formulé (du phéno-texte) est *situable* et, comme tel, *surdéterminé*. Le géno-texte est ainsi non pas *l'autre scène* par rapport au présent formulaire et axial, mais *l'ensemble des autres scènes* dans la multiplicité desquelles il marque un index présent écarté-écartelé par la surdétermination qui définit, de l'intérieur, l'infini. »

Votre incompréhension vous fait honte?

Alors demandez à dix de vos amis parmi les plus cultivés de vous traduire en français cette version française. Attendez patiemment le résultat de l'épreuve. Vos complexes, j'en suis sûr, commenceront déjà à s'atténuer. Mais il est difficile, pour les gens qui tiennent aujourd'hui une plume, de résister à la tentation de transmettre en un charabia dénaturé des messages qui gagneraient à être délivrés en clair, et presque tous subissent l'étrange fascination du javanais philosophique.

La jeune critique cinématographique barbote dans l'hexagonal structuralisé avec l'entrain d'une classe de maternelle lâchée dans le petit bain.

Pour vous, spectateurs bornés, Buster Keaton est sans doute un clown supérieurement maître de son art, avec, en plus, le don de provoquer un rire impossible en s'étalant de son long?

Vous n'y connaissez rien.

Voilà, béotiens que vous êtes, pourquoi Buster Keaton vous fait rire.

« Le caractère à la fois précis et parfait de l'amplification rythmique d'une part, et du mouvement à l'intérieur du plan d'autre part, exclut toute idée de contingence, créant un sentiment de nécessité absolue, sorte de déterminisme cosmique dont la rigueur, loin de détruire le côté absurde, l'accuse encore et le

pousse même jusqu'à une angoisse dont l'anéantissement final ne pouvait qu'être l'issue. »

Ça ne s'invente pas!

Des textes de ce genre, il s'en publie des
centaines de pages par semaine.

Des hexagonaliens entraînés à qui j'ai
demandé de les traduire ont déclaré forfait.

En revanche, en écrire est à la portée de
tous. L'hexagonal est, comme l'anglais et la
métaphysique, un langage qu'on parle bien mais
qu'on comprend mal.

Arrêtons là ces citations. Le jeu est trop
facile et dangereux. Consommé à trop haute
dose, par obligation professionnelle, vice, ou
simple curiosité, l'hexagonal finit par provoquer
des vertiges caractéristiques d'ordre neuropsychique. Le dialogue quotidien avec les enti-
tés de cet enfer verbal engendre une sorte de
bourdonnement intérieur lancinant, continu et
pernicieux. Les mots se mettent à danser une
sarabande de cauchemar, heurtant sourdement
et de plus en plus douloureusement les parois
de votre boîte crânienne.

D'étranges décibels, perçus de vous seul,
emplissent le silence de votre cabinet de travail;
si le terrain est encore sain, des réactions de
défense ne tardent pas à s'ensuivre. Vous finis-
sez par aspirer à la délivrance, aux contre-
poisons.

La guérison ne sera accomplie que lorsque
l'usager saturé rejettera l'hexagonal comme un
corps étranger.

Peut-être, après cette accumulation

d'exemples et de citations, ressentez-vous déjà
les symptômes de ce vertige dû à notre consommation abusive d'hexagonal? Alors il y a de
l'espoir. Vous avez des chances d'échapper à
la contamination. S'il vous a servi de vaccin, ce
livre aura atteint son but.

TABLE DES MATIÈRES

——————— Imprimé en France ———————
IMPRIMERIE FIRMIN-DIDOT. — PARIS - MESNIL - IVRY — 5472
Dépôt légal n° 2568 - 3e trimestre 1970.
23.21.1787.02

◇H◇ 23/1787/3